講談社文庫

黒《くろ》蠅《ばえ》(下)

パトリシア・コーンウェル|相原真理子 訳

講談社

BLOW FLY
by
PATRICIA DANIELS CORNWELL

黒《くろ》蠅《ばえ》（下）

●主な登場人物〈黒蠅〉

ケイ・スカーペッタ　法病理学者
ピート・マリーノ　元刑事
ルーシー　スカーペッタの姪、元FBI捜査官
ベントン・ウェズリー　元FBI心理分析官
ニック・ロビヤード　女性刑事
ローズ　スカーペッタの秘書
サム・ラニエ　バトンルージュの検視官
ジャン・バプティスト・シャンドン　死刑囚〈狼男〉
ジェイ・タリー　逃亡犯、〈狼男〉の弟
ベブ・キフィン　ジェイの情婦
ロッコ・カジアーノ　マリーノの息子、弁護士
グレンダ・マーラー　誘拐された高校教師
アイヴィー・フォード　誘拐された銀行の窓口係
シャーロット・ダード　八年前の不審死者
ルーディ・ムージル　元FBI捜査官
トリクシー　マリーノの同居人
ザック・マンハム　ルーシーのオフィスの主任
ウェルドン・ウィン　連邦検事
ジェイミー・バーガー　NYの女性検事
フランク・ロード　上院議員

60

翌朝、スカーペッタはまだフロリダにいた。出かけようとしたとき、またそれをはばむようなことがおきた。今回は宅配便で荷物がふたつ届いたのだ。ひとつはポランスキー刑務所広報課からのもので、もうひとつはシャーロット・ダード事件に関する資料がはいったぶあつい包みだ。中身は主に検屍や検査の報告書と組織標本だった。

スカーペッタは左心室自由壁のスライドを複合顕微鏡の載物台にのせた。法病理学者として、これまでにスライドを見るのについやした時間を足したら、何万時間にもなるだろう。組織の微細な構造や、その細胞が語ることの解明に情熱をかたむける組織学者に、敬意は感じる。だがなぜあのような仕事をずっとつづけられるのか、理解できない。なにしろせまい研究室に朝から晩までとじこもって、心臓や肺、肝臓、脳などの臓器や傷、病変部の断片にかこまれてすごすのだ。組織学者はそれらの断片をホルマリンなどの固定剤をいれたびんにつけて、固化させる。そしてパラフィン蠟《ろう》かプラスチック樹脂に埋めこんで、光がとおりぬけられるぐらいの薄さに切る。それをガラスのスライドに固定し、さまざまな染料で染色する。それらの染料は十九世紀の繊維産業によって開発されたものだ。

スカーペッタが見る標本の大半はピンクやブルーに染色されているが、レンズのしたで彼女に秘密をうちあけることになる組織や細胞の構造、病変の種類によっては、ほかにもさまざまな色が使われる。病気と同じように、染料にもその発見者や発明者の名前がつけられることが多い。そのことが組織学を混乱させているとまではいえないものの、不必要に複雑にしているように思える。染料や染色法のことをブルーやバイオレットと呼ぶならともかく、クレシル・ブルーやクレシル・バイオレット、ペルルのプルシアンブルー、ハイデンハインのヘマトキシリン（紫がかった赤）、マッソンのトリクロム（ブルーグリーン）、ビールショースキー（うすい赤）と呼ばなければならない。ジョーンズのメセナミン銀というのもある。スカーペッタはその名前の平凡さが気にいっている。病理学の分野でのエゴイスティックな命名の典型は、シュヴァン細胞腫のシュヴァン細胞の核をワンギーソン染色法によって染色するといった言いかたに見られる。なぜドイツの動物生理学者テオドール・シュヴァンが腫瘍に自分の名前をつけたがったのか、スカーペッタには見当もつかない。

彼女はレンズをのぞき、ピンクに染色された組織のなかの収縮帯を見つめた。それは検屍のときにシャーロット・ダードの心臓の断片から切りとったものだ。繊維の一部には核がなかった。これは壊死《えし》がおこっていた、つまり組織が死んでいたことを示唆している。他のスライドには、ピンクとブルーに染色された炎症や古い傷、冠状動脈の狭窄《きょうさく》などが見られた。ルイジアナに住んでいたこの女性は、バトンルージュにあるモーテルの部屋の入り口で、外出するかっこうをしてキーを手にもったまま、突然倒れて死んだのだ。まだ三十二歳だった。

八年前に彼女が死亡したとき、かかりつけの薬剤師が強力な鎮痛剤オキシコンチンを、違法に与えたのではないかという疑いがもたれた。この薬が彼女のハンドバッグから見つかったが、処方箋はなかったからだ。スカーペッタへの手紙に、この薬剤師はカリフォルニア州パームデザートへ逃亡した可能性があるとドクター・ラニエは書いている。だがそう考える根拠や、なぜいまになってシャーロット・ダード事件の調査を再開したのかについては、ふれていなかった。

さまざまな理由から、これはやっかいな事件だった。発生から何年もたっているし、オキシコンチンがその薬剤師から与えられたものである証拠はない。もしそうだったとしても、薬剤師がその薬で彼女を殺害することを前もって計画していたのでないかぎり、第一級謀殺罪に問うことはできない。シャーロット・ダードが死亡したとき、彼は警察に話をすることを拒否し、弁護士を通じて釈明した。それによると、椎間板《ついかんばん》ヘルニヤをわずらっているダード一家の友人がシャーロットにオキシコンチンをあげ、彼女がそれをのみすぎたのだろうということだった。

10

八年前にドクター・ラニエが受けとった何通かの手紙のコピーがそえられていた。それらは薬剤師の弁護士、ロッコ・カジアーノが送ったものだった。

いのぼっていく。

スカーペッタのデスクの前にある窓の向こうでは、太陽が移動するにつれ、影が砂丘をは

シュロの葉がかすかな音をたて、浜辺で黄色いラブラドルレトリーヴァーを散歩させている男性は、逆風に向かって身をかがめている。青くかすむ遠くの水平線では、コンテナ船が南へ向かっている。たぶんマイアミをめざしているのだろう。仕事に没頭すると、スカーペッタは時間と自分のいる場所を忘れ、またニューヨーク行きの便にのりおくれることになる。


ドクター・ラニエは電話をとり、しわがれ声で「もしもし」といった。

「ひどい声ですね」スカーペッタは気の毒そうにいった。

「かぜだか何だかわからないんですけど、とにかく気分が悪くてね。電話してくださってありがとう」

「どんな薬をのんでいらっしゃるの？　鬱血《うっけつ》除去剤と、去痰《きょたん》薬のはいった咳止めがいいですよ。抗ヒスタミン剤はよくない。日中用、または眠くならないタイプのもので、抗ヒスタミン剤やコハク酸ドキシラミンを成分にふくまない薬をためしてごらんになるといいわ。そう

いったものがふくまれていると、脱水気味になって細菌感染をおこしやすくなるの。お酒もやめたほうがいいわ。免疫力を低下させるから」

ドクター・ラニエははなをかんだ。「いちおう申しあげておくと、わたしは医者でもあるんです。嗜癖《しへき》性薬物が専門なので、薬に関しては多少知識があります」むきにならず、淡々という。「それをきいたら安心なさると思ってね」

スカーペッタは、かってに決めつけたことを恥ずかしく思った。検視官《コロナー》は選挙で選ばれる役人で、残念なことに医者ではないものがその役をつとめる場合が、全国的に多いのだ。

「失礼しました、ドクター・ラニエ」

「気にしないでください。ところで、あなたの相棒のピート・マリーノは、あなたを崇拝しているようですね」

「わたしのことを調べたのね」困惑していった。「なるほど。それじゃ本題にはいりましょうか。シャーロット・ダードについての資料、目をとおしましたよ」

「あれはなつかしい事件でね。といっても古いだけで、いいところは何もないんですが。ちょっと待ってください。書くものを用意しますから。うちではきまってペンが行方不明になるんですよ。犯人はわが愛《いと》しき妻なんですけどね。はい、ではどうぞ」

「ミセス・ダードの事件は、たしかにややこしいですね」と、スカーペッタは話しはじめた。「毒物検査の結果によると、オキシコンチンの代謝物のオキシモルホンは、血液一リットルに対して四ミリグラムしか検出されなかった。これは致死量ではない。胃からは検出されておらず、肝臓での濃度も血中濃度とほぼ同じ程度。つまり、オキシコンチンの過剰服用による死亡とは考えにくい。薬物の濃度より、臨床所見のほうが問題ね」

「そうですね。わたしもずっとそう思っていました。組織検査の結果から考えると、致死量に達していない量の薬物でも、過剰服用と同じ結果をうんだ可能性がある。検屍報告書や外景所見で見るかぎりでは、皮膚に静脈注射による薬物乱用の痕《あと》は見られなかった。注射ではなく、麻薬錠剤を常用していたのかもしれない」

「彼女が常習的な薬物乱用者だったことはたしかね。心臓を見ればそれがわかる。壊死した部分や、いろいろな古さの繊維形成が見られるし、慢性的な局所貧血もある。でも冠動脈疾患はなく、心肥大もない。要するに、コカインにやられた心臓ということね」

　これはさまざまな場合に使ういいまわしで、その心臓のもちぬしが必ずしもコカイン中毒者とはかぎらない。麻薬や合成麻薬、オキシコンチン、ヒドロコドン、ペルコセット、ペルコダンなど、常用者が手にいれられる薬物はすべて、コカインと同じように心臓をだめにする。エルヴィス・プレスリーはその気の毒な例だ。

「一時的記憶喪失の件についてもうかがいたいんですが」しばしの間のあと、ドクター・ラニエがいった。

「どんなことについて？」彼が緊急に話したかったのは、このことなのだろう。「送っていただいたケースファイルには、記憶喪失に関することは何もなかったけど」

スカーペッタはいらだちをおさえた。私的なコンサルタントである彼女に提供される法医学的な情報は、かぎられている。重要な事実がぬけていたり、不正確な情報がまじっていたりすると、怒りを感じる。自分で事件を担当し、あるいはバージニア州全土で他の法病理学者が担当する事件を監督する立場にいたときには、面識もない人たちの能力や誠実さをあてにする必要はなかった。

「シャーロット・ダードは一時的に記憶を失うことがあった。すくなくとも、事件当時、そうききました」ドクター・ラニエは説明した。

「だれにきいたのですか？」

「彼女のお姉さんです。シャーロットは逆行性健忘症をわずらっていたらしい……真偽のほどはわかりませんが」

「家族は当然知っていたでしょう、だれもいっしょに住んでいなかったのならともかく」

「問題は、夫のジェイソン・ダードというのが、いささかあやしげな人物でね。だれも彼のことはよく知らない。わかっているのは、たいへんな金持ちで、昔からの農園《プランテーション》に住んでいることだけです。シャーロットの姉のミセス・ギドンという人も、あまり信用できない感じでね。むろん、死ぬ前の妹の状態について彼女が話したことが、事実ではないとはいえませんが」

「警察の報告を読みましたけど、ごく短いですね。知っていることを話してくださいませんか」

　ひとしきり咳をしたあと、ドクター・ラニエは答えた。「彼女が死亡したホテルは、あまり治安のよくない地域にあります。わたしの管轄区域ですが。遺体を発見したのは、ホテルの清掃主任です」

「彼女の血液検査の結果は？　送っていただいた資料には、死後の数値しかなかった。だから生前、γ《ガンマ》－GTPやCDTの値が高かったかどうかがわからない。もし高ければ、アルコール中毒だった可能性があるでしょう」

「最初にあなたに連絡したあとに、シャーロットの生前の血液検査の結果を手にいれました。死ぬ二週間ほど前に入院していたので、検査をしたんですね。お恥ずかしいことに、それがちがうファイルにまぎれていました。どうしようもない事務員がひとりいてね。なんとかくびにしたいんですけど、彼女はすぐに告訴するタイプなもので。ご質問の答えは、ノーです。γ－GTPとCDTの数値は高くありませんでした」

「彼女はなぜ入院していたの？」

「また記憶を失ったので、検査のために。つまり死ぬ二週間前にも、記憶喪失におちいったわけですね。それも真偽のほどは不明ですけど」

「γ－GTPとCDTの数値が高くなかったのなら、一時的記憶喪失の原因はアルコールではないわね。ドクター・ラニエ、すべての情報をいただかないと、こちらとしても意見のだしようがないわ」

「わたしも情報を全部もらいたいですよ。警察へのぐちはいいたくないけど」

「記憶をなくしているあいだのミセス・ダードの行動は？」

「暴力的になるということでした。物をなげたり、自宅やそのとき泊まっているところを荒らしまわったり。あるときは自分のマセラティをめちゃめちゃにしたそうです。窓とドアとボンネットを金づちでたたいて、レザーのシートには漂白剤をかけて」

「車体工場にその記録があるの？」

「車がこわされたのが一九九五年の五月で、修理に二ヵ月かかっています。夫がその車を下取りさせて彼女のために新車を買ったそうです」

「それが最後の記憶喪失ではないのね」スカーペッタはメモ帳のページをめくり、かろうじて読みとれるような字ですばやくメモしていく。

「ええ、最後におこったのはその年の秋で、死ぬ二週間前です。一九九五年の九月一日。そのときはかみそりのようなもので、総額が百万ドルをこえるという何枚かの絵を切り裂いたということです」

「それは自宅でのこと？」

「客間だそうです」

「目撃した人は？」

「荒らされたあとを見ただけのようです。これも事件当時に彼女のお姉さんと夫が話したことで、本当かどうかはわかりませんが」

「もちろん薬物乱用のせいで、一時的な記憶喪失がおこることはある。もうひとつの可能性は、側頭葉ね。頭にけがをしたことはあるのかしら？」

「きいていませんね。X線や全体的な検査でも、骨折のあとや古傷は見られなかった。さっきもいったように、最後の記憶喪失がおこったのは一九九五年の九月一日ですが、病院の記録によると、そのあと彼女はありとあらゆる検査を受けています。MRIとかPETスキャンとか。でも何も見つからなかった。もちろん、検査ではわからないこともある。もしかすると彼女は頭にけがをしたことがあって、われわれがそれを知らないだけかもしれない。でもその可能性は低いですね。やはり薬物乱用が原因でしょう」

「いただいている情報から考えて、わたしもその意見に賛成です。調査結果を見ると、彼女はオキシコンチンを一回だけ過剰服用したというより、常習的に薬物を乱用していた可能性がたかい。死因をつきとめるには、きちんと捜査するしかないでしょうね」

「やれやれ。そこが問題なんですよ。事件を担当した刑事はまるで何もしなかった。いまになって捜査をするはずもないし。まったく、ここは問題だらけの土地柄でね。いいのは食べ物だけですよ」

「たぶん常習的な薬物乱用による心臓死が、ミセス・ダードの死の様態でしょう。わたしにいえるのはそれぐらいだわ」

「しかもわが州の連邦検事のウェルドン・ウィンというのが、また無能なやつでね。シャーロット・ダードの事件にも、だいぶ興味を示していたようだったが」ドクター・ラニエは不平をいいつづける。「あのいまいましい連続殺人がおこってから、いろんな人がいろんなものへ首をつっこみはじめた。それを政治的に利用しようとして」

「タスクフォースには加わっていらっしゃるんでしょう？」スカーペッタは彼のことばをさえぎってきいた。

「いや。遺体がひとつも見つかっていないから、その必要はないというんです」

「もし遺体が見つかっても、捜査の内容を知っている必要はないというの？　誘拐された女性は全員殺害されたと考えられているのに？　ひどい話ね」

「本当にそうですよ。誘拐された現場にも呼ばれていないし。被害者の家も車も、どの現場も見ていないんです」

「見るべきだわ。人が誘拐されて殺されていると思われるとき、警察は検視官にあらゆるものを見せて、すべてのことを知らせるべきよ。捜査の内容をきちんと報告しないといけない」

「ここでは、『べき』には何の意味もないんです」

「あなたの郡から、何人の女性が誘拐されているんですか？」

「これまでに七人です」

「それなのに、誘拐現場をひとつも見ていらっしゃらないの？　同じことばかりうかがってごめんなさい。でも信じられなくて。現場はどれももう残っていないのでしょう？」

「時間がたってしまったのでね。被害者たちの車はたぶん、まだ押収されたままです。それだけはありがたい。でも駐車場や家をいつまでも立ち入り禁止にしておくわけにはいきませんからね。被害者の家がどうなっているかは、まったくわからない」ことばを切って咳をする。「またおこりますよ。近いうちに。やつはエスカレートしてきている」

かすみがかかり、青空の色がにごってきた。風も強まっている。

スカーペッタはドクター・ラニエと話しながら、資料をめくっている。さがしていた死亡証明書がやっと見つかった。おりたたんで封筒にいれてある。これは認証されていないので、本来ならドクター・ラニエの事務所の外へだしてはいけないはずだ。スカーペッタや、それを請求した他のだれかに死亡証明書――認証されたもの――のコピーを送る権限をもつのは、出生や結婚、死亡などの証明書を扱う役所だけだ。スカーペッタが局長だったときは、事務員がそのようなとんでもないミスをすることは考えられなかった。

スカーペッタは問題の死亡証明書のことをドクター・ラニエに話し、こういいそえた。

「事務所の運営のしかたについて口をだすつもりはありません。でもいちおうお耳にいれておいたほうがいいと思って……」

「なんてこった！」彼は大声をあげた。「どの事務員がやったか見当はつく。それはミスじゃありませんよ。わたしをやっかいなめにあわせようと、虎視《こし》眈々《たんたん》とねらっている人間がおおぜいいるんです」

死亡証明書にのっている彼女の旧姓はドゥ・ナーディだった。父親はベルナール・ドゥ・

ナーディ、母親はシルヴィー・ガイヨ・ドゥ・ナーディ。

シャーロット・ドゥ・ナーディ・ダードはパリで生まれている。

「ドクター・スカーペッタ？」

ドクター・ラニエのしゃがれ声と咳がぼんやりきこえてくる。スカーペッタは誘拐された女性たちのこと、シャーロット・ダードのなぞめいた死、ドクター・ラニエが警察の捜査からしめだされていることについて、一心に考えていた。ルイジアナ州の法執行システムは、腐敗していることで悪名高いのだ。

「ドクター・スカーペッタ？　もしもし？　そこにいらっしゃるのかな？」

ジャン・バプティスト・シャンドンはもうすぐ処刑されることになっている。

「もしもし？」

「ドクター・ラニエ」彼女はようやくいった。「ひとつ教えていただきたいの。わたしのことをだれからおききになった？」

「ああ、よかった。電話が切れてしまったかと思った。間接的に紹介されたんです。いささか変わった紹介のしかたでね。ピート・マリーノに連絡をとるようにすすめられた。そこからあなたへいきついたのです」

「その変わった紹介をしたのはだれ？」

また咳の発作がおさまるのを待ってから、「死刑囚監房にいる男です」。

「あてみましょうか。ジャン・バプティスト・シャンドンね」

「それがわかったのは意外ではない。正直にいうと、あなたのことを調べたんです。あの男にはずいぶんこわいめにあわされたんですね」

「その話はやめましょう。シャーロット・ダードについての情報も、彼が出所《でどころ》なのね。ところで、パームデザートへ逃げたという、なぞの薬剤師の弁護士ロッコ・カジアーノは、シャンドンの弁護士でもあるのよ」

「それは知らなかったな。シャンドンはシャーロット・ダードの死にかかわっているのでしょうか？」

「彼自身か彼の家族の一員、または家族と親しいものがかかわっていることは、まちがいないと思うわ」

ルーシーはシャワーをあびていない。疲労と、自分では認めない心的外傷後ストレスのため、オフィスにもどってもふだんとは様子がちがっている。服はくしゃくしゃだ。それを着たまま寝たかのように見える。実はそのとおりだ。それも二回。一回はベルリンで、のるつもりの便がキャンセルされたとき。もう一回はヒースロー空港で。ルーディといっしょに、出発が三時間遅れた便にのるのを待っているとき。やっとそれにのって八時間の飛行を終え、一時間ほど前にJ・F・ケネディ空港へついたばかりだ。すくなくとも手荷物が見つからずに右往左往する必要はなかった。わずかな身の回り品はみな、機内もちこみができる小さなダッフルバッグひとつにつめこんであったからだ。ドイツをでる前にふたりはシャワーをあび、シチェチンのラディソンホテルで着ていた服を処分した。

ルーシーは特殊警棒についた指紋をすべてふきとった。そして駐車した車でこみあった、人通りのすくない細い道のわきにとめてあったでこぼこのメルセデスに近づき、わずかにあいていた窓からためらわず警棒をなげいれた。メルセデスのもちぬしは、いったいだれが、なぜ自分の車のフロントシートに警棒をおいたのだろう、と頭をひねるにちがいない。

「メリー・クリスマス」ルーシーはつぶやき、ルーディといっしょにそそくさと明け方の町へ消えた。

その日の朝は曇って気温が低く、クロバエの活動には不向きだった。けれども午後になれば、ハエは動きはじめるだろう。そのときにはルーディとルーシーはとっくにポーランドをはなれている。羽のある汚《けが》らわしい虫どもはロッコ・カジアーノの部屋のわずかにあいた窓を見つけ、大挙してなかにはいりこんで、硬直して冷たくなった彼の遺体を餌《えさ》にするだろう。そして何百個——何千個かもしれない——もの卵をうみつける。

ルーシーのオフィスの主任、ザック・マンハムは、ルーシーを一目見ただけでわかった。今日のボスはどうかしていると。どこにいたにしろ、そこでひどいことがおこったにちがいない。彼女は強烈な体臭をはなっている。ルーシーといっしょにジムで何時間もトレーニングしたり、何キロも走ったりしたことがあるが、彼女がこんなにおいを発したことはない。いまのルーシーの体臭は、恐怖とストレスから生じた強いにおいだ。それは汗をかかなくても分泌される。わきのしたがじっとりしてきて、服にもしみだす。時間がたつにつれ、さらに不快な強いにおいになっていく。この急激な反応に加えて、心拍数がふえ、呼吸が浅くなり、青ざめ、瞳孔が収縮する。以前はニューヨーク地区検事局の刑事だったマンハムは、その仕事をはじめてすぐに、こうした反応に気づくようになった。その生理学的な側面については知らないが、知る必要もない。

「家へ帰って休んだほうがいい」彼は何度もルーシーにいった。

「やめてよ」彼女はしまいにどなった。マンハムのデスクのうえにおかれた大型のデジタルテープレコーダーに興味を示している。

ルーシーはヘッドホンをつけ、テープレコーダーの再生ボタンを押してボリュームを調節した。

あのなぞめいたメッセージをくりかえしきく。これで三度目だ。オフィスの精巧な発信者番号通知システムにより、発信者の番号がポランスキー刑務所であることはつきとめた。だが衛星追跡システムは、その通話がこのオフィスのあるビルの前か、なかで発信されたものであることを示している。ルーシーは停止のボタンを押し、すわりこんだ。疲れはて、錯乱している。

「ちくしょうめ！」と、わめいた。「どういうことなんだろう！　何かへましたんじゃない、ザック？」

彼女は顔をこすった。まつげに残ったマスカラのかすがべとべとしている。シチェチンのラディソンで、いかにもその場にふさわしい若い美女の役を演じたとき、ウォータープルーフのマスカラをつけた。だが日ごろあまり化粧品を使わないのでマスカラ・リムーバーをもっていなかった。そこで顔をごしごしこすったが、目にせっけんがはいっただけだった。その目は、一晩中のんでいたかのように血走って、はれぼったい。とくべつな場合をのぞい

て、仕事の場で酒をのむことは禁じられている。一時間ほど前、動くたびに悪臭の航跡を残しながらオフィスにあらわれたとき、ルーシーが開口一番いったのは、のんでいたわけじゃないのよ、ということばだった。そういわれなくても、マンハムもほかのだれも、彼女がのんでいたとは、ちらっとも思わなかった。

「ぼくは何もやってないよ、ルーシー」マンハムは辛抱強く答え、心配そうに彼女を見た。

マンハムは五十に手が届く年齢だが、健康そのものだ。百八十センチをこす長身で、ふさふさした褐色の髪はこめかみのあたりだけ白くなっている。以前はブロンクスなまりが強かったが、いまはさほど目立たなくなっているし、必要に応じて変えることもできる。生まれつきものまねが得意で、どんな環境にでもすんなりとけこめる。女性はみな彼を魅力的でおもしろいと感じる。マンハムはそれを仕事に役立てる。ラスト・プリシンクトでは、倫理にもとるといった批判をされることはない。ただし捜査にあたるものがおきてを破って、私利私欲のために行動するという、おろかで利己的なまねをした場合はべつだ。人の生命を危険にさらしかねないような任務をになっているものは、けっして個人的な動機で動いてはいけない。

「本当にぼくにもわからないんだ。なぜ衛星追跡システムがこの建物を示すのか」と、マンハムはルーシーにいう。「ポランスキー刑務所に電話したけど、ジャン・バプティストはちゃんとそこにいる。刑務所のやつらがそういうんだ。だからここにいたはずはない。それは

不可能だ。やつが浮遊でもできるならべつだけど」

「体外離脱でしょう」ルーシーはいいかえした。思いやりのない横柄な態度をとらずにはいられない自分を、もてあましている。「浮遊というのは、空中にうかぶことよ」

ルーシーは無力感にさいなまれている。明晰《めいせき》で論理的な頭脳のもちぬしなのに、何がおこったのか解き明かすことができないからだ。しかもそれがおこったときに不在だった。

マンハムは遠慮がちに彼女を見た。「彼だということは、たしかなのか?」

強いフランス語なまりのある、ジャン・バプティストのやわらかな、心地よいとさえいえる声を、ルーシーはよく知っている。その声は一生忘れることはできない。

「ぜったいあいつよ。音声分析をしてみてもいいけど、結果はわかってる。ポランスキーの連中は、死刑囚監房にいるそのろくでなしが、本当にシャンドンかどうかたしかめる必要があると思う。DNA検査をして。ひょっとするとやつの家族が、何かやらかしたのかもしれない。なんならわたしがいって、やつのいやったらしい顔を自分で見てくるわ」

ルーシーは、自分が彼を憎んでいることがいやでたまらない。有能な捜査官は、感情におぼれてはいけない。さもないと判断力がにぶるし、危険ですらある。だがジャン・バプティストはおばを殺そうとした。ルーシーはそのことで彼を心から憎んでいる。彼は死ぬべきだ。それも苦しみながら。あのようなことを画策し、実行しようとしたシャンドンは、犠牲者たちに与え、スカーペッタに与えようとしたすさまじい恐怖を、自ら味わうべきだ。

「またDNA検査をするように要求するのか？　ルーシー、そのためには裁判所命令が必要だよ」マンハムは管轄権や法的な制限のことをよく知っている。長年それにしたがって生きてきたので、ルーシーが強引な計画を提案したとき、それを気にせずにはいられない。ルーシーがやろうとしていることは、昔なら考えられないし、実現はまず不可能だろう。録音した声のことを伏せておけば証拠隠蔽《いんぺい》と見なされ、事件が法廷にもちこまれたとき、圧倒的に不利になる。

「バーガーならDNA検査を要求できるわ」ルーシーは地区検事補ジェイミー・バーガーの名前をだした。「彼女に電話して、できるだけはやくきてくれるようにいって。いますぐとか」

マンハムは苦笑いした。「彼女はひまをもてあましているだろうから、いい気晴らしになると喜ぶよ」

スカーペッタは二十センチ×二十五センチのカラー写真を、何十枚もひろげた。ポランスキー刑務所の売店で扱っている紙を一枚ずつライトボックスにのせ、紫外線をあてて撮影したものだ。同じ紙を五十倍に拡大して撮ったものもある。

それらを、彼女あてに送られてきたシャンドンの手紙の写真と比べた。その紙はすかしがはいっておらず、木部繊維が密にからまりあってできている。これは安価な紙に多い。それに対し、上等な紙には製紙材料のぼろがはいっている。

タイプ用紙のように、紙の表面はつるつるで光沢がある。写真を比べたところ、ちがいはまったく見られない。つまり同じメーカーの同じロットの紙である可能性は高い。だがそれはたいして意味をもたない。実際にその紙が同じロットのものであっても、その科学的事実は法廷ではあまり役にたたない。メーカーのロットは量が膨大なので、このような安い紙はひとつのロットからどれぐらいつくられるか、見当もつかないほどだと弁護側はすぐに主張するだろう。

二十二センチ×二十八センチ、用紙重量七十五g／m²のこの紙は、スカーペッタがプリンターにいれて使っている紙と同じだ。弁護側は、彼女がシャンドンになりすまして手紙を書き、自分に送ったのではないかといいだしかねない。

これまでにもっとばかげた、とんでもない言いがかりをつけられたことがある。彼女はもはや達観している。一度疑いをかけられると、それが尾をひくことになる。すでに職業上、法律上、道徳上のさまざまな罪で訴えられている。もしまた彼女を破滅させようとたくらむものがいたら、どんな小さな種でも見逃さないだろう。

ローズが仕事場に顔をのぞかせた。「いますぐ出発しないと、また飛行機にのりおくれることになりますよ」

通りでコーヒーを買うのはジェイミー・バーガーの昔からの習慣だ。それにより、つかのま喧騒から逃れることができる。

ラウルからおつりを受けとり、礼をいう。ラウルはうなずいた。うしろに長い行列ができているのを意識し、せわしげに立ち働いている。バターはいるかときいてきた。地区検事局からセンター・ストリートをへだてたところにあるこの売店を、バーガーは昔から利用している。いつもバターはいらないと答えるのに、毎回それをきかれる。彼女はコーヒーと、いつもの高炭水化物の昼食、つまりベーグル——今日のはケシの実がついている——とフィラデルフィア・クリームチーズ二パック、それにナプキンとプラスチックのナイフがはいった白い紙袋をもって、そこをはなれた。ベルトにつけた携帯電話が、人を刺す昆虫のように振動しはじめた。

「はい」バーガーは地区検事局があるみかげ石のビルから道路をへだてた歩道で立ちどまって、電話にでた。ダウンタウンにある彼女のオフィスは、グラウンド・ゼロの近くだ。二〇〇一年の九月十一日、バーガーがオフィスの窓から外を見ているとき、二番目の飛行機が世界貿易センタービルにつっこんだ。

ハドソン川にそってぽっかりあいたその穴は、彼女の胸のなかにも穴をあけた。かつてあったものが消えたあとの、何もない空間を見つめていると、四十八歳のバーガーは、自分が年よりずっと老けてしまったような気がする。年をへるごとに、自分の一部を失っていく。失われたものは二度ともどってこない。

「いま何をしてるの?」と、ルーシーがきいた。「街の騒音がきこえるわ。ということは、裁判所のまわりにむらがる警官や弁護士や凶悪犯のまっただなかにいるってことね。もうすこし文化度の高いアパー・イーストサイドまで、何分ぐらいでこられる?」

いつもながらバーガーに口をはさむ余地を与えず、いやというにはもう遅い。

「法廷にでる予定があるわけじゃないんでしょう?」

それはない、とバーガーはいった。「いますぐきてほしいってことね」

交通渋滞という現実をふまえていうと、いますぐは四十五分後ということだ。バーガーがルーシーのオフィスがあるビルの二十一階へあがったときには、午後一時近くなっていた。エレベーターがあくと、そこはマホガニーがふんだんに使われた受付だった。ガラスのデスクのうしろの湾曲した壁に、インフォサーチ・ソリューションズという真鍮《しんちゅう》の文字がはめこまれている。客が待つスペースはなく、デスクの両側には不透明なガラスのドアがある。エレベーターがしまると同時に、電子制御により左側のドアのかぎがあいた。シャンデリアのなかに隠されたカメラがバーガーの姿と彼女がたてる音をとらえ、ドアの奥のすべての部屋に備えられたプラチナ色のスクリーンにうつしだす。

「くたびれた様子をしてるわね、ルーシー。ところでわたしのほうはどううつってた？」バーガーは出迎えたルーシーにまじめな顔でいった。

「あなたは写真うつりがすごくいいわ」ルーシーは前にもいったことのあるせりふで応じた。「ハリウッドへいっていれば、女優として大成功してたわよ」

バーガーは黒い髪にシャープな目鼻立ちの、歯ならびのきれいな女性だ。いつもパワースーツに高価なアクセサリーという、一分のすきもないかっこうをしている。彼女は自分自身を俳優とは思っていないだろうが、有能な検察官は面接するときや法廷では演技するのがあたりまえだ。バーガーはまわりの、とじられたマホガニーのドアをながめた。そのひとつがあき、ザック・マンハムがCDをいくつかもってでてきた。

「わたしの『応接室』へきて」ルーシーがバーガーにいった。「クモが見つかったの」

「ドクグモね」マンハムが重々しい顔でいいたす。「調子はどうですか、ボス？」バーガーと握手しながらいった。

「古きよき時代がなつかしいでしょう」バーガーは彼にほほえみかけたが、冗談ぽいことばとはうらはらに、その目はまじめだ。

バーガーが自分のAチームと呼ぶ、地区検事局の刑事班からマンハムがぬけたことは、いまだに痛手だ。といっても、それが最善の選択であったことはわかっているし、今回のように彼といっしょに仕事をする機会もひきつづきある。

　だがやはりここでも、ひとつの時代が終わったのだ。

「こちらへどうぞ」マンハムがいった。

　彼とルーシーのあとについて、広々した部屋へはいった。簡単にラボと呼ばれているその部屋は、本格的な録音室のように防音装置がほどこされている。頭上のたなには精巧なオーディオやビデオ、全地球測位システム《GPS》など各種の追跡システムがのっている。それらはバーガーの知識をはるかにこえており、彼女はルーシーのオフィスへくるたびに感嘆せずにはいられない。いたるところでライトが点滅している。ビデオスクリーンにはさまざまな映像がうつしだされる。この建物の内部をうつしているものもあれば、バーガーにはわからないどこかの場所を監視しているものもある。

　モデムやモニターがごちゃごちゃとのったデスクのうえに、小さなマイクの束のようなものがあるのに気づいた。

「この最新のおもちゃは何？」

「最新流行のアクセサリー。超ミクロ発信機よ」ルーシーはその束をとりあげて発信機をひとつぬいた。それは二十五セント玉ほどの大きさで、長い細いコードがついている。「これといっしょに使うの」と、黒い箱のようなものをたたいてみせる。箱にはプラグのさしこみ口と液晶ディスプレイがある。「この発信機をアルマーニのジャケットの折り返しのなかにでもいれておけば、あなたが誘拐されたとき、準ドップラー方向探知器がVHF《超短波》とUHF《極超短波》によって、あなたがいる正確な場所をつきとめる。

周波数範囲は二十七から五百メガヘルツ。チャンネルはごく簡単なキーボードで選ぶの。そっちは——と、黒い箱をたたく——追跡システムよ。あなたが車やバイク、自転車でどこへいこうと、これで監視できる。ニッケルカドミウム電池で動くただの水晶発振器なんだけど。一度に十の対象を監視できるの。だからご主人が複数の女性と浮気しているような場合にも使えるわけ」

バーガーは失礼なあてこすりを無視した。

「防水なの」と、ルーシーはつづける。「ショルダーストラップのついたもち運び用の便利なケースもある。グルカかエルメスにたのめば、オーストリッチかカンガルー革でとくべつにつくってもらえるかもよ。あなた専用のを。航空機用アンテナもあるから、リアジェットやガルフストリームにのって空を飛んでいるときでも安心よ。なにしろ行動派だからね、あなたは」

「けっこうよ」と、バーガーはいった。「わたしが迷子になったり誘拐されたりしたときにどうなるかを見せるために、わざわざここまでこさせたんじゃないでしょうね」

「まあね」

ルーシーは大型のモニターの前にすわった。すばやくキーボードをたたくとつぎつぎにウインドーがひらいていく。彼女はバーガーにはわからない、法科学上のソフトウェア・アプリケーションの奥深くへはいっていった。

「これ、NASAから譲り受けたの?」と、バーガーはきいた。

「そうかもね」ルーシーは答え、番号のついたフォルダーにカーソルをあてた。やはりバーガーには何の番号かわからない。「NASAは月から石をもって帰る以外にも、いろいろやっているのよ」ルーシーはキーのうえに指をうかせ、一心にスクリーンを見つめている。「ラングレイ研究センターに、ロケット科学者の友人が何人かいるの」マウスをぐるぐる動かす。「当然受けるべき評価を与えられていない優秀な人材が、あそこにはたくさんいるわ」カタ、カタ、カタ。「すごいプロジェクトをいくつかいっしょに開発してるの。これこれ」登録番号と今日の日付がついたファイルをクリックする。

「さあ、いくわよ」ルーシーはバーガーを見上げた。「よくきいて」

「こんにちは。どちらさまでしょうか?」テープに録音された男性の声は、ザック・マンハムのものだ。

「マドモアゼル・ファリネリがもどったら、そのとき彼女にバトンルージュと伝えてくれ」

バーガーは椅子をひきよせてすわり、コンピューターのスクリーンに目をすえた。

画面には声紋、つまり音響分析図がふたつうつっている。録音された人間の声――二・五秒のデジタル録音――を周波数に変換したものだ。それによってできた黒と白の垂直、および水平の帯のもようは、ロールシャッハテストのインクのしみのように、見る人によってさまざまなものを連想させる。この声紋は、ルーシーには竜巻《たつまき》を描いた白黒の抽象画のように見える。

彼女はバーガーにそういって、「そっくりよね」と、つけ加えた。「ここでわたしがやったのは、というかコンピューターがやったのは、べつのときに録音されたシャンドンの音声を調べること。具体的には、リッチモンドでシャンドンが逮捕されたあとに、あなたが彼を面接したときのビデオテープね。コンピューターはそのなかの同じことばをさがしたの。

もちろん、あいつがそう簡単にことばの比較をさせるはずがない。ここにかかってきた電話で使われていることばを考えるとね。あなたとの面接では、彼はバトンルージュということばは一度も口にしていない。ルーシー・ファリネリというわたしの名前もよ。そうなると、あとは『もどったら』と『そのとき』、『彼女』と『伝えて』だけ。これだけでは十分な比較ができない。一致すると断定するためには、すくなくとも二十ぐらいの言語音がほしいところね。でも手にはいったことばを比べると、きわめて類似しているといえる。ふたつの声紋の黒っぽい部分の周波数は一致しているの」スクリーン上の声紋の黒い部分を指さす。

「見たところまったく同じね」バーガーがいう。

「そう。『もどったら』、『そのとき』、『彼女』、『伝えて』の四つのことばに関してはそういえると思う」

「同じ人物の声だとぼくは思う。でも法廷でみんなを納得させるのはむずかしいだろうね」と、マンハムがいった。「さっきルーシーがいった理由から。陪審員を納得させるには、同じことばがすくなすぎる」

「いまは裁判のことは忘れましょう」ニューヨークでもっとも尊敬されている検察官がいった。

ルーシーはべつのキーをたたいて、二番目のファイルを再生した。

「彼女の胸をさわって、ブラジャーのホックをはずした」ジャン・バプティストのやわらかな、礼儀正しい声が流れる。

ルーシーがいった。「これが面接のテープのなかの、同じことばがふくまれている部分」

「体にさわろうとしたけど、そのとき彼女の上着をぬがせられなかったので」

「美しい人だと彼女に伝えて」と、ジャン・バプティストはいっている。

「もっとあるわ」と、ルーシーがいう。「飛行機でニューヨークにもどったら」

ルーシーが説明した。「例の四つのことばがはいってるでしょう、ジェイミー。そのままの形ではないけど。シャンドンの罪状認否手続きの前に、あなたが特別検察官として呼ばれたとき、彼を面接したわね。さっきもいったように、いまきいたのはそのときのビデオテープからとったものよ」

面接の一部をこうしてきくことは、ルーシーにとって抵抗がある。バーガーがスカーペッタにこのビデオを見るよう強要したことに、ルーシーはわずかながら怒りを感じている。もっともそれは必要なことだった。どうしても必要だったからこそ、スカーペッタは彼にあやうく殺されかけたあと、暴力的なポルノのような、人の心をかき乱すこのビデオを何時間にもわたって見たのだ。ジャン・バプティストはうそをつき、それを楽しんでいた。被害者で重要な証人であるスカーペッタがそれをきくと思うことで、彼は性的に興奮したにちがいない。ジャン・バプティストはリッチモンドでの犯行のことだけでなく、一九九七年にスーザン・プレスと「ロマンチックな出会い」をしたことについても、うそ八百をならべたてた。スカーペッタはそれを語る彼の姿を見て、その声をきかなければならなかった。スーザン・プレスはCNBCテレビで天気予報を担当するキャスターだったが、ニューヨークのアパー・イーストサイドの自宅で、惨殺されているのが発見された。

二十八歳の美しいアフリカ系アメリカ人だったプレスは、シャンドンの他の被害者と同じように、残虐なやりかたでなぐられ、嚙《か》まれていた。シャンドンの犯行のうち、遺体から精液が検出されたのはこの事件だけだった。もっと最近の、リッチモンドでの犯行では、被害者はみな上半身だけはだかで、精液は見られず、唾液だけが検出されていた。そのことをふまえてDNA分析をおこなった結果、シャンドン・カルテルは緊密に結びついた犯罪組織であることがわかった。利益の追求と、サディスティックな快楽殺人をおかすのがその目的だ。金もうけではない、スポーツとしての殺人を楽しむのは、もっぱらジャン・バプティストとジェイ・タリーだ。スーザン・プレスの殺害ではふたりがタッグチームを組み、人あたりのよいジェイがスーザンを誘惑しレイプしてから、性的不能な醜いふたごの兄に彼女をわたしたのだ。

ルーシーとバーガーとマンハムは、コンピュータースクリーン上の音響分析図を見た。音声分析は科学として確立したものではないが、電話でメッセージを残したのがジャン・バプティスト・シャンドンであることを、三人は確信していた。

「こんなものを見るまでもないわ」バーガーはスクリーンを指で強くなぞったので、かすかにあとがついた。「あいつの声はどこできいてもすぐわかる。竜巻ね。ほんと。まさにそのとおりだわ。やつが人の人生をめちゃめちゃにすることを考えると。どうやら彼はまたそれをやろうとしているようね」

衛星追跡システムはこのビルを示しているのに、ナンバーディスプレイによると、この電話は遠くはなれたテキサスのポランスキー刑務所からかけたことになっていることを、ルーシーは説明した。「どういうことかわかる?」

バーガーは首をふった。「わからないわ。技術的な問題とか、わたしの知らないことが何かあればべつだけど」

「とにかくジャン・バプティスト・シャンドンがまだテキサスの死刑囚監房にいて、五月七日に処刑される予定になっていることを、確認する必要があると思う」と、ルーシーがいう。

「そうだよな」マンハムがつぶやいた。カチカチとボールペンの芯をだしたりひっこめたりしている。これは彼を知るすべての人間をいらいらさせる神経症的なくせだ。

「ザック?」バーガーが片方のまゆをあげて、ボールペンに目をやった。

「ごめん」マンハムはのりのきいた白いワイシャツの胸ポケットにそれをしまった。「ぼくは席をはずしていいかな。電話しなきゃならないので」

「どうぞ。どうなったかあとで話すから」と、ルーシーはいった。「もしわたしに電話がかかってきたら、だれもわたしの居所を知らないことにしといてね」

「一息つくにはまだはやいんだね?」マンハムが笑う。

「そうよ」

彼は部屋をでていった。ドアには防音パッドがついているので、しまる音はほとんどきこえない。

「ルーディはどうしてる?」と、バーガーがきいた。「アパートに帰って、シャワーをあびるか昼寝でもしているならいいけど。あなたもそうしたほうがよさそうよ」

「ううん。彼も仕事してる。廊下の向こうの部屋で、サイバースペースをさまよってるわ。ルーディはインターネットおたくなの。ありがたいことにね。彼が使う検索エンジンはイギリスの地下鉄より数が多い。それを駆使して宇宙をかけめぐっているわけ」

「シャンドンからDNA検査用の標本をとるためには、捜索令状がいるわ。それを発行してもらうには、相当な理由を示す必要があるのよ、ルーシー。電話の声を録音したものではその理由にならない。それに外部に情報がもれることになる。それをどの程度まで許容するつもりなの? 電話のメッセージの意味がよくわからない以上、あまり……」

「一切だめよ」ルーシーが口をはさんだ。「このオフィスからはどんな情報ももらさない。ぜったいに」

「リークは許しがたい罪ってわけね」バーガーはほほえんだ。ルーシーの決然としたきびしい顔を見つめるその目に、気づかわしげな色がうかんだ。ルーシーの顔はまだ溌剌《はつらつ》とした若さにあふれており、深紅のくちびるはふっくらして魅惑的だ。

人間は生まれたその日から死に向かうというが、ルーシーにはそれがあてはまらないようだ。ルーシーはすべての人間的な基準からかけはなれているように、バーガーには思える。

そのことからも、ルーシーが長くは生きられないような気がして、心配になる。頭を撃ちぬかれたルーシーの、若々しいきれいな顔と力強い肉体が、ステンレスの解剖台のうえにのっているところが目にうかぶ。どんなに努力しても、そのイメージを頭から追いはらうことができない。

「裏切りは、たとえ弱さから生じたものでも、許しがたい罪よ」ルーシーはいった。バーガーに見つめられてとまどい、不安をおぼえている。「どうしたの、ジェイミー？　だれかが何かリークしたと思ってるの？　まさに悪夢だわ。わたしはその悪夢におびえながら生きてるの。死ぬよりこわいわ」しだいに興奮してくる。「だれかが秘密をもらしたら……裏切り者がひとりでもいたら、一巻の終わりよ。だからきびしくせざるをえないの」

「そうね、きびしいわよ、あなたは」バーガーは立ちあがった。モニターにうつっているシャンドンの音声のパターンは、見ようともしない。「ニューヨークはいまだに未解決の事件を抱えている。スーザン・プレス殺害事件よ」

ルーシーも立ちあがった。バーガーがつぎに何をいうか予想し、その目を一心に見つめている。

「シャンドンが彼女を殺害した罪に問われたけど、わたしがなぜ譲歩したか、なぜここで起訴するのをあきらめて彼をテキサスへひきわたしたか、わかってるでしょう」

「テキサスは死刑があるからね」と、ルーシーはいった。

ルーシーとバーガーは防音のドアの前で立ちどまった。モニターが光り、閉回路カメラでとらえられた光景がつぎつぎにうつしだされ、白やグリーン、赤の小さな明るいライトが点滅する。まるで宇宙船のコックピットにいるようだ。

「彼はテキサスで死刑判決を受けるだろうと思ったし、実際にそうなった。五月七日」バーガーは低い声でいった。「でもここでは、ニューヨークでは彼が死刑に処せられることはない。ぜったいに」

バーガーはブリーフケースにリーガルパッドをいれ、ぱちんとふたをしめた。「そのうち地区検事長が死刑を認めるかもしれないけど、わたしの在職中はだめでしょうね。でもね、ルーシー、いまや問題は、シャンドンを死刑にしてもいいのかということね。もっと正確にいうと、ポランスキー刑務所の彼の独房にいる人物を、処刑してもいいのか。その人物がだれかはっきりしないのに、ということね。悪名高いルガル《狼男》が、わたしたちに連絡してきたわけだから」

バーガーはわたしたちといったが、ジャン・バプティスト・シャンドンからの手紙や伝言は彼女のもとには届いていない。ルーシーが知るかぎりでは、彼から接触があったのは彼女自身とマリーノとスカーペッタだけだ。三人には手紙がきたし、いまや電話もかかってきた。技術的な不具合か人間のプログラマーのミスがあったのでないかぎり、その電話はマンハッタンのアパー・イーストサイドからかかってきたとしか思えない。

「彼のDNAをとるための裁判所命令をだしてくれる判事は、いないでしょうね」バーガーはいつものように落ち着いた、自信のある声でいった。「捜索令状をだす相当な理由がないかぎり。もし令状がでたら、シャンドンをニューヨーク州にひきわたしてもらうよう交渉して、スーザン・プレス殺害容疑で裁判にかけるわ。彼の唾液からとったDNAという証拠があるから、有罪にできると思う。スーザンの膣内から採取された精液はジャン・バプティストのものではなく、彼のふたごの弟のジェイ・タリーのものであることはわかっているけど。シャンドンの弁護士のロッコ・カジアーノは、ありとあらゆるあこぎな手を使おうとするでしょうね。こちらがこの事件を、いわばむしかえしたら」

ルーシーはロッコ・カジアーノの話題にはのりたくない。表情は変わらなかったが、また吐き気におそわれた。彼女は意志の力でそれをおさえようとした。むかむかするのをやめなさい、と自分に命令した。

「もちろんタリーの精液のことも証拠としてもちだすつもりよ。危険だけどね。弁護側は、いまは逃亡犯となっているジェイ・タリーがスーザンをレイプして殺害したのだと主張するでしょう。それに対してこちらがはっきり証明できるのは、シャンドンが彼女を噛んだことだけだから。要約すればこういうこと」バーガーはいまや法廷モードにはいっている。「精液がだれのものかという点に、陪審員がこだわらないことをこちらは期待するわけ。そしてスーザンの上半身につけられた無数の噛み跡とそこからとった唾液から、シャンドンが彼女にすさまじい苦痛を与えたことに、ショックを受けてほしいの。シャンドンがスーザンを殺したことや、噛まれたとき彼女がまだ生きていたことを証明することはできない」

「くそ」と、ルーシーがいう。

「彼が有罪になる可能性はある。陪審員はスーザンがひどい苦痛を与えられ、残忍な殺されかたをしたことを信じるかもしれない。彼が死刑判決を受ける可能性もなくはない。でもニューヨークでは死刑が執行されることはない。だからもし有罪になったら、おそらく彼は仮釈放なしの終身刑をいいわたされるでしょうね。つまり、こちらは彼が刑務所で死ぬのを待つしかないわけ」

ルーシーはドアノブに手をかけ、フォームラバーのぶあつい防音パッドにもたれた。「あいつには死んでほしいとずっと思ってるわ」

「わたしもシャンドンがテキサスで死刑判決を受けてよかったと思う。でも彼のDNAは手にいれたいわ。彼がどこかの街をうろついて、つぎの犠牲者を物色してはいないことをたしかめるために……」

「わたしたちのどちらかが、つぎの犠牲者になるかもしれないのよ」

「とにかく電話をかけるわ。まず、スーザン・プレス殺害事件の捜査を再開するので、シャンドンのＤＮＡをとるための裁判所命令をだしてほしいと判事にたのむ。それからテキサス州知事に連絡をとる。知事の認可がないと、シャンドンを動かすわけにいかないから。コーリー知事がどういう人物かはわかっている。すごく頑固だけど、すくなくとも話はきいてくれると思う。この世から殺人犯をなくすのに協力したということになれば、テキサス州の面目がたつでしょう。彼と取り引きしてみるわ」

「正義ほど選挙に役立つものはないものね」ルーシーは皮肉っぽくいって、ドアをあけた。

68

午前九時ごろのポーランド。ゲオルギ・スカルジュペックという保守係が、ラディソンホテルの五一三号室へいった。バスタブの排水口がつまり、悪臭を発しているためだ。ドアをノックし、「メンテナンスのものですが」と、何回か呼びかけた。応答がないのでなかにはいると、客はすでにチェックアウトしていることがすぐにわかった。ベッドには精液のしみのついたシーツがくしゃくしゃのまま残され、ワインの空きびんが何本もころがっている。ナイトテーブルのうえの灰皿は、たばこの吸い殻でいっぱいだ。

クローゼットの戸はあけっぱなしで、ハンガーが床に落ちている。道具箱をもってバスルームへはいると、例によって歯みがきがシンクにこびりつき、鏡にとびちっている。トイレは流してないし、バスタブにはあかのういた水がたまっている。シンクのとなりのカウンターには食べかけのチョコレートがのった皿がおかれ、大きなハエがそのうえをはっている。ハエは鏡のうえの明かりにぶつかり、スカルジュペックの頭めがけて急降下してくる。

ブタどもめ。

ブタみたいな人間ばかりだ。

彼は大きなゴム手袋をはめ、バスタブのなかの脂のういた冷たい水に手をつっこんで、排水口をさぐった。からまりあった長い黒髪がつまっている。

ブタどもめ。

ぬれた髪の毛のかたまりをトイレのなかになげいれ、顔のまわりをとぶハエを追いはらった。チョコレートがのった皿にハエがたかり、もぞもぞと動きまわるのを、ぞっとしながらながめる。ゴム手袋をぬぎ、おぞましい太った黒い害虫をそれではたいた。

むろんハエは彼にとってめずらしい虫ではなく、仕事の場でよく目にする。だがいまのように涼しい時期に、部屋のなかにこんなにたくさんハエがいるのは見たことがなかった。ベッドのそばをとおりすぎたとき、窓があいていることに気づいた。客の多くはたばこを吸うので、冬でも窓があいていることはよくある。手をのばしてしめようとしたとき、またハエが一匹、窓の下枠をはっているのが目にとまった。それは飛行船のようにまいあがり、スカルジュペックのそばをとおりすぎて部屋のなかへはいった。外気とともに、異臭が流れこんできた。酸っぱくなったミルクか腐った肉のような、かすかなにおいだ。彼は窓から頭をつきだした。悪臭はすぐ右の部屋からただよってくる。五一一号室だ。

69

車はハーレムにあるパーキングメーターのそばにとまっている。イースト一一四番ストリートの、ラオスの店から一ブロック以内のところだ。

以前のベントンは、予約のとりにくいこの店で、いつでもテーブルをとることができた。彼はFBIの捜査官で、百年前からこの有名な、ある意味では悪名高いイタリア料理店を所有している一家にとっても、とくべつな存在だったからだ。かつてここはギャングのたまり場だった。いまではさまざまな人がここで食事する。チェックのテーブルクロスのかかったテーブルがまばらにおかれたこの店には、有名人がよくくる。警官もラオスをひいきにしている。だがニューヨーク州知事はここへはこない。ベントンは、現金二千五百ドルをはらって手にいれたおんぼろの黒いキャデラックを、イースト一一四番ストリートにとめている。ベントンがラオスにこれ以上近づくことは、決してないだろう。

彼は携帯電話の電源をシガレットライターにさしこんだ。エンジンはかかったままだ。エアコンをつけ、ドアをロックしてある。彼はたえずミラーに視線をやり、そばをとおる粗暴そうな男たちを見ている。街をうろついて、けんかを売るしか能のない連中だ。ベントンがいまもっている携帯電話の請求先住所は、ワシントン州に住む架空の女性の私書箱になっている。ベントンが電話をかけた場所を衛星がつきとめたとしても、それには何の意味もない。約二分後、フランク・ロード上院議員が、スタッフのひとりと話している声がきこえてきた。ロードが自分の国際携帯電話を、モード2にしたことにスタッフは気づいていない。だがこのモードにしたことで、ロードはいまやだれにも気づかれずに電話を受け、会話を相手に伝えることができる。

ロードはテレビの生放送で証言している最中に腕時計を見て、いきなり休憩したいといいだした。電話をかけた人――この場合はベントン――は、ベルトにつけた携帯電話にふれなくても、ロードのいっていることをすべてきくことができる。

くぐもったような足音と声がきこえた。

「……世界最強の議事進行妨害者だ。その点にまちがいはない」と、ロード上院議員がいっている。彼はひかえめだが、いうことはきびしい。

「彼は議事妨害を芸術の域にまで高めたといえますね」べつの男性の声がベントンのイヤホンからきこえてくる。

ベントンはこの電話をかける正確な時刻を伝えるテキストメッセージを、ロードの携帯電話に送っていた。ロードと接触するのはほぼ一年ぶりだった。ロードはベントンがきいていることを知っているはずだ。忘れたり、メッセージが届いていなかったりすればべつだが。

ベントンの自信がぐらついてきた。彼はいつものようにぱりっとした地味なスーツに身をつつみ、軍人のようにぴんと背筋をのばしたロード上院議員の姿を思いうかべた。

遠隔操作による一方的な通話は、うまくいっているようだとベントンは思った。ロードはケーブルテレビのC－スパンで生放送されていたと思われる聴聞会の場から、突然でていった。何か理由がないかぎり、そんなことをするはずはない。モード2で電話するとベントンが伝えておいたちょうどその時刻に、たまたまでていったとは考えにくい。

それにロードのほうも電話をモード2にしたようだと気づいて、ベントンはほっとした。モード2にしていなければ、向こうの会話がきこえるはずはない。ばかなことを考えてびくびくするんじゃない、とベントンは声にださずに自分をしかった。おまえはばかではない。ロード上院議員もばかではない。よく考えろ。

ベントンは、自分がいかに古い友人や知人に会いたいと思っているかを思いだした。スカーペッタの信頼する友人で、彼女のためならどんなことでもしてくれるロード上院議員の声をきくと、ベントンは胸がつまった。彼は指の関節が白くなるほど強く、携帯電話をにぎりしめた。

スタッフのひとりと思われる男性が、「何かのみものをもってきましょうか？」と、きいている。

「いまはけっこう」と、ロードは答えた。

ベントンは上半身はだかの筋骨たくましい若者が、彼の車のほうにさりげなく近づいてくるのに気づいた。さびかけてあちこちへこんだこのキャデラックは、充塡剤《じゅうてん》だらけでまるで色素異常でもおこしているように見えるぽんこつだ。ベントンは若者をじろっとにらんだ。この万国共通の警告にけおされて、若者はべつの方向へ歩きだした。

「彼は指名されないと思いますよ」さきほどのスタッフがいった。自分のことばがすべて、ハーレムにいる人物がもっているノキアの携帯電話に送られているとは、夢にも思っていない。

「わたしはいつもきみより楽天的なんだよ、ジェフ。事態が思いがけなく好転することもあるからね」と、ロード上院議員がいう。司法委員会委員長であるロードは、連邦法執行機関でもっとも影響力のある政治家だ。その理由は彼が予算をにぎっているからだ。凶悪犯罪の解決といったこともふくめて、あらゆることは予算に左右される。

「サバトに電話してほしいんだが」ロードがいっているのはFBI長官のドン・サバトのことだ。「彼が新設したサイバー犯罪課のための予算は、申請どおりにおりると伝えてくれ」

「承知しました」スタッフは驚いているようだ。「喜ぶでしょうね」

「サバトはきちんとやるべきことをやったうえで、わたしの手助けを求めているのだから」

「せんえつながら、わたしは賛成しかねますね、委員長。ほかにも重要な問題をいろいろかかえているので、おそらくこの件は論議をよぶことに……」

「ではまかせたよ」ロードは途中でさえぎった。「わたしは聴聞会へもどって、くだらない権力争いではなく人間のことを考えるよう、あのばかどもを説得しなきゃならないので」

「罰のことも考えさせたほうがいいですよ。あなたのことをあまり快く思っていない連中がいますからね」

ロードは笑った。「ということは、わたしのやっていることが正しいということだな。サバトによろしくいってくれ。計画は順調にすすんでいると伝えて、安心させてやるといい。だいぶ不安そうだったから。でもこれからますますがんばらないといけない」

電話は切れた。数時間後には、マディソン・アヴェニューと六三番ストリートの角にあるニューヨーク銀行のいくつかの口座に、金がふりこまれているはずだ。ベントンは他の偽名で発行されたキャッシュカードで、すぐにそれをひきだすことができる。

70

ルーシーの部屋にあるコンピューターのライトが点滅しはじめた。

悪名高い法廷弁護士、ロッコ・カジアーノが、ポーランドのホテルで自殺したらしいというニュースが、通信社に配信されたのだ。遺体を発見したのは保守係で、ホテルの部屋から異臭がただよってくるのに気づいたという。

「いったいどうして……?」ルーシーはキーをたたいて点滅するライトを消し、マウスを動かして「印刷」のところをクリックした。

ルーシーは検索エンジンを使うのが得意だ。目下のところ、いくつもの検索エンジンを駆使して、ロッコ・カジアーノに関するさまざまな情報をさがしている。それらは山のようにある。ロッコは自分についての記事を読むのが大好きで、たびたびニュースに登場した。ロッコや彼が弁護を担当するクライアントについての記事を読むたびに、ルーシーはこれまで経験したことのない不安におそわれた。ルーディが手をそえて、ロッコに自分の頭を撃たせようとしている光景が、脳裏から去らない。

上向きにして。

銃口を上へ向けるのよ。

ケイおばさんから学んだ情報だ。大事な姪とルーディが何をやったか知ったら、彼女がどんな反応を示すかルーシーには想像もつかない。

「四十八時間もたたないうちにか？」ルーディが肩ごしにのぞきこんだ。ルーシーの首にかかる彼の息は、シナモンガムのにおいがする。人のいないところでは、いつもこのガムをくちゃくちゃかんでいるのだ。

「シチェチンでの不運はいまだにつづいているようね。保守係とつまった排水口のせいで、こんなことになるとは」ルーシーはAP通信の記事を読みつづけた。

ルーディはとなりにすわり、デスクにひじをついてあごを手でささえた。はじめてのリトルリーグの試合に負けた少年のようだ。

「あれだけ綿密に計画したのにな。ちくしょう。どうすりゃいいんだ？　検屍報告書はもう調べた？　まさかポーランド語じゃないだろうな」

「ちょっと待って。まずこのサイトからでて……」マウスをクリックする。「べつのところへいって……インターポールって大好きよ……」

ラスト・プリシンクトはえりぬきのクライアントで、膨大な範囲におよぶインターポールの国際的なネットワークを形成する組織のひとつと見なされている。それに参加するためには、もちろんルーシーは認定審査にパスし、小さな国家と同じくらいの額の会費を毎年はらわなければならない。検索をはじめると、ものの数秒でロッコ・カジアーノの死亡記録が画面にでた。警察と検屍の報告書はポーランド語からフランス語に翻訳されている。

「わあ、困った」ルーシーはためいきをつき、椅子をぐるっとまわしてルーディを見あげた。「フランス語に強い？」

「フランス語《フレンチ》に関してぼくが強いのは、キスだけだよ」

「いやらしいわね。ひとつの仕事しかできないコンピューターと同じだわ、男って。ひとつのことしか頭にないんだから」

「そのことしか考えないわけじゃないよ」

「そうね。ごめん。それだけってことはないけど、でもそれを一日に二回も三回も、百万回も考えるのよね」

「わあ、ひどい発音」

「きみはどうなんだい、マムゼル・ファリネリ？」

ルーシーは腕時計を見た。いまはめているのはブライトリングの精巧な腕時計だ。チタンで、緊急位置発信機《ELT》がついている。

「ヘリコプターを操縦するとき以外は、それをはめないことになってるんじゃないのか？」

ルーディはその腕時計をたたいた。

「さわらないで。ELTが作動しちゃうわよ」ルーシーがからかう。

ルーディは彼女の腕をつかんで腕時計をしげしげとながめた。まゆをひそめ、あざやかな青い文字盤を見て、ばかみたいに首をかしげる。ルーシーは笑いだした。

「そのうちこの大きなつまみをはずしてやる」ルーシーの腕をつかんだまま、また腕時計をたたく。「それでアンテナをひっぱりだして、一目散に逃げる……」

ルーシーの携帯電話が振動しはじめた。彼女はベルトにつけたケースからそれをとりだした。

「沿岸警備隊やF15戦闘機がきたら、大いに笑ってやる」

「はい」ルーシーはそっけない声で電話にでた。

「きみってほんとに人あたりがいいね」ルーディがその耳にささやく。「ぼくが死んだら、結婚してくれる？」

電話は雑音がひどい。「どなた？」ルーシーは大声をだした。「きこえないんだけど」雑音はますますひどくなる。ルーシーは肩をすくめて、電話を切った。「見おぼえのない番号だわ。知ってる？」

電話をもちあげて、いまかけてきた人の番号をルーディに見せる。

「いや。九‐三‐六……？　どこの市外局番だろう？」

「すぐわかるわ」

とくべつな検索エンジンやインターポールを使わなくても、電話番号を打ちこめばだれのものかはすぐわかる。ルーシーはGoogle《グーグル》にログインした。テキサス刑事司法局、ポランスキー刑務所、と画面にでた。地図もついている。

「ぼくの質問に答えてないよ」ルーディはまだふざけているが、ポランスキー刑務所から電話がかかってきたことの重要性には、十分気づいている。

「そっちが死んでるのに、なんで結婚なんかするのよ？」ルーシーはつぶやいた。ルーディのいっていることはほとんどきいていない。

「だってきみはぼくがいなきゃ生きられないからだよ」

「信じられないわ」ルーシーはスクリーンを見つめた。「いったいどういうことなんだろう？　おばさんに電話するよう、ザックにいって。彼女の無事をたしかめて、シャンドンが逃亡している可能性があることを伝えてもらって。くそっ！　やつはからかってるんだわ！」

「なぜ自分で電話しないの？」ルーディがふしぎそうにいう。

「あのくそ野郎めは、わたしたちをからかってるのよ！」目が怒りにもえている。

「どうしてきみがスカーペッタに電話しないんだ？」ルーディがまたきいた。

ルーシーはわれにかえった。

「いまはとても彼女と話なんかできない。どうしてもだめ」ルーディを見る。「あなたはどんな気分？」

「最低な気分だよ」と、彼はいった。

ベントンが地上通信線を使わずに携帯電話へかけたのは、会話を録音されることをふせぐためだ。

71

ルーシーがぜったいにもっているはずの器機、彼女にとってなくてはならない道具はたくさんあるが、生の会話を自動的に録音する携帯電話は、そのなかにはふくまれていないだろう。ルーシーの携帯電話の番号を知っている人はそう多くないし、その人たちとの会話をひそかに録音する必要はまずないからだ。今回の作戦のほうが前のよりずっと簡単だった。ジャン・バプティストの録音された声を使ったが、何をいっているかはききとれないはずだ。ルーシーが音声分析でそれを調べることもできない。

ベントンはジャン・バプティストの録音された声の断片をつなぎあわせて、それに雑音をいれた。電波の届きにくいところで話しているような印象を与えるためだ。前回と同じように、ルーシーは発信者番号を調べて、それがポランスキー刑務所であることをつきとめているだろう。オフィスの電話にかけたわけではないので、その通話はすでに宇宙のかなたに消えており、衛星で追跡することはできない。

ルーシーは腹をたてるだろう。ルーシーが本気で怒ったら、もう何も彼女をとめることはできない。ジャン・バプティストにからかわれている、と彼女は思うだろう。ベントンはルーシーをよく知っている。彼女がシャンドンを憎むという間違いをおかしたことはわかっている。憎しみは思考力を鈍らせる。衛星追跡システムを信用するなら、ポランスキー刑務所にいるはずのシャンドンが、ニューヨークから電話をかけてきた。いったいどうやってそれをやってのけたのかと、彼女は首をひねるだろう。

ルーシーは最終的にはテクノロジーを信用する。

ポランスキー刑務所からふたたび電話がかかってきたとなると、シャンドンは電話をもっていて、その請求書送付先がテキサス刑事司法局なのだとルーシーは真剣に考えるだろう。そしてやがて、ジャン・バプティスト・シャンドンは脱獄したと思いはじめるはずだ。

スカーペッタはポランスキー刑務所へいき、防護ガラスをへだてて彼と対面しようときめるだろう。シャンドンは他の人と会うことは拒否する。それは彼の権利だ。

そうだよ、ケイ。それはきみのため。きみのためなんだ。たのむ。彼と会ってくれ。まだまにあううちに。彼に話をさせるんだ！

ベントンは必死だ。

バトンルージュだよ、ルーシー！

シャンドンはバトンルージュといっただろう、ルーシー！

わたしのいうことをきいているのか、ルーシー？

72

ジャン・バプティスト・シャンドンは、ダイポールアンテナつきのラジオがなくても、そのニュースを知ることができる。

「おい、毛玉！」と、ケダモノがわめいた。「きいたか？　おれみたいにラジオをもってないから、知らないんだろうな。教えてやろうか。あのな、おまえの弁護士がポーランドで自分の銃を食ったってよ」

ジャン・バプティストは外科医のような熟練した手つきでていねいにペンを動かし、「死刑囚監房、そして人生の最前列にいる」ということばをなぞった。白い紙にできたくぼみに指を走らせる。スカーペッタへのこの手紙は弁護士が送ってくれるはずだが、彼は死んだという。ロッコが死んだときいても何の感慨もわかない。だがその死に何か重要な意味があるのか、それともロッコが発作的に自殺したのかは知りたい。

自殺のニュースが広まると、いつものように下品なことばや残酷なコメント、質問がとびかい、監房内は騒然とした。

情報。

死刑囚監房では情報は貴重だ。みな新しいニュースにとびつく。うわさやゴシップ、情報に飢えているのだ。だから彼らにとって今日はとくべつな日だ。囚人たちはだれもロッコ・カジアーノに会ったことはないが、ニュースでジャンドンの名前がでるときは必ずロッコの名前もでるし、逆の場合も同じだった。メディアがロッコの死に関心をもつのは、彼がかの悪名高いジャン・バプティスト、別名ルガル、毛玉、ちびちんぽ、狼男の弁護士だからにすぎないことは、ジャン・バプティスト自身にもわかっている。そういえばケダモノ——あの小利口なやつ——が、今日また彼に新たな名前をつけた。ええと、なんだっけ……?

社会《public》の敵ナンバー・ワン。

ケダモノはそれを書いた紙をおりたたんで、扉の下からすべりこませてきた。publicをpubic《恥毛》と書いて、ごていねいに自分の恥毛を一本そえて。ジャン・バプティストはその紙を食べてことばを味わい、恥毛はふっと吹いて窓の格子のあいだから飛ばした。それは彼の房の外の床におちた。

「もしおれが狼男の弁護士だったら、やっぱり銃を食うよ!」ケダモノが大声でいった。

笑い声があがり、囚人たちがバンバン鉄の扉を蹴る音がひびいた。

「うるさいぞ! 何やってるんだ?」

騒ぎは長くはつづかなかった。看守がたちまち監房の秩序を回復させた。ジャン・バプティストの房の格子窓から、茶色の目がふたつのぞいた。

ジャン・バプティストはその目が発する弱いエネルギーを感じた。彼は決して見つめかえしたりはしない。

「電話をかけたいならかけさせてやるぞ、シャンドン」目のもちぬしがいった。「おまえの弁護士が自殺したってよ。ポーランドのなんとかっていう町のホテルで、死んでるのが見つかったんだ。死んでからだいぶたってたらしい。自殺したのは、やつが逃亡犯だったからだ。まあ、当然だな、おまえの弁護士が犯罪者なのは。おれが知ってるのはそれだけだ」

ジャン・バプティストは寝台にすわって、白い紙に書いたことばをなぞっている。「あんたはだれだ？」

「看守のダック《アヒル》だ」

「ムッシュ・カナール《アヒル》？　コワンコワン。フランス語ではガーガーではなく、こういうんだよ、ムッシュ・ダック」

「電話をかけたいのか、かけたくないのか？」

「けっこう《non》だ、メルシー《merci》」

ダックはジャン・バプティストと話すたびに、巧妙にあざけられているような気がして、腹がたつ。どんなふうにかはうまくいえないが、とにかく見くびられているように感じ、無力感をおぼえる。まるでこの異形の殺人犯が、死刑囚監房や彼を支配しているはずの看守たちを超越しているかのようだ。狼男の手にかかると、ダックは自分が制服を着たかげぼうしにすぎないように思えてくる。ダックはジャン・バプティストが処刑されるのを心待ちにしており、彼が苦しんで死ぬようにねがっている。

「そのとおり。あと十日でおまえは処刑される。赦免《mercy》はなしだ」ダックはずけずけという。「弁護士が自分の脳みそをふっとばして、ホテルの部屋で死んでたのは気の毒だったな。おまえが心から悲しんでるのがよくわかるよ」

「うそだ」ジャン・バプティストは寝台から立ちあがって扉に近づき、うぶ毛のようなやわらかい毛がびっしりはえた指で、小さな窓の鉄格子をつかんだ。

ハロウィーンの仮面のような顔が窓いっぱいにあらわれ、ダックはぎょっとした。二、三センチもの長さの汚い爪がすぐそばにあることに気づいて、気が動転する。なぜかジャン・バプティストは親指の爪を切らずに、のばしているのだ。

「うそだ」ジャン・バプティストはまたいった。

左右対称ではないその目がどこを見ているのか、どれぐらい見えているのか、よくわからない。額と首が毛におおわれ、耳のあなからも毛のふさがとびだしているのを見て、ダックは恐怖におそわれた。

「さがれ。くそ、何かの死骸の汁を体中につけた犬みたいにひどいにおいだな。そのきたならしい親指の爪は切ってやるぞ」

「わたしには爪と毛をのばす法的権利があるんだ」ジャン・バプティストは低い声で答え、口をあけてにやっと笑った。まるで口の大きな魚のようだ、とダックは思った。

　彼がそのすきまのあいたとがった小さな歯を、女性の肌にくいこませているところを想像した。逆上したサメのように乳房に嚙みつき、毛むくじゃらのこぶしで美しい顔をたたきつぶしたのだ。シャンドンがねらったのは、セクシーな肉体をもつ、社会的にも成功している美貌の女性ばかりだった。彼は大きな胸と乳首に執着した。監房に出入りしている法心理学者によると、ジャン・バプティストは体の一部に固執し、それを破壊せずにはいられない性癖のもちぬしなのだという。

「犯罪者によっては、その対象、つまりフェティッシュがくつと足なんだ」と、法心理学者はいった。一ヵ月ほど前、ダックとコーヒーをのんでいるときだ。

「ああ、くつに執着するというのはきいたことがある。そういうたやつらは、人の家に押しいって、女性のくつをぬすむそうだな」

「それはそうめずらしいことではない。犯人はくつそのものに性欲を刺激される。そのうち、そのフェティッシュを身につける女性、あるいはその体の一部が彼にとってフェティッシュである女性を、殺したいと感じるようになる。連続殺人犯の多くは、最初はフェティッシュどろぼうだった。家にしのびこんで、くつや下着といった、やつらにとって性欲の対象になるものをぬすむ」

「じゃ狼男は、毛むくじゃらのがきだったころには、ブラジャーをぬすんでたのかな」

「その可能性は大いにある。彼は家にはいりこむのがうまい。それは住居侵入の常習犯から連続殺人犯になったものの特徴だ。フェティッシュどろぼうによる窃盗は、だれかが家に押しいって何かをとっていったことに被害者が気づかないことが多いので困る。くつ、それも何足かのくつや下着が見つからなくても、どろぼうがはいったと考える女性はすくないだろう」

ダックは肩をすくめた。「うちのやつも、しょっちゅう何かをさがしてるよ。あいつのクローゼットを見せたいね。くつに執着するっていえば、まさにサリーがそうだ。でも女性の家に押しいって、乳房をぬすんでいくわけにはいかないだろう。まあ、死体をバラバラにするってやつもいるけど」

「髪の色とか目の色なんかと同じだ。犯人は性欲をかきたてられるものに執着し、ときによってはそのフェティッシュを破壊したいという、サディスティックな欲求にかられる。ジャン・バプティスト・シャンドンの場合は、自分の好みの大きさと形の乳房をもった女性がそれにあたるわけだ」

ダックにもその気持ちがある程度わかる。彼も乳房が大好きだ。乳房の絵や写真は、暴力的なものでさえ彼を興奮させる。ダックはひそかにそのことを恥ずかしく思っている。

通路を歩く看守の足音が遠ざかっていく。

ジャン・バプティストは寝台にもどり、ひざの上に何も書いてない白い紙のたばをのせた。ペンをトントンと紙に打ちつけながら、詩的な文章をつづる。それらは彼の独創的な頭からくりだされる。彼の心は詩で満ちあふれている。ことばを使ってさまざまなイメージをあらわし、深い思想を語るのは、彼にとって造作《ぞうさ》もない。それらのことばは完璧なリズムをもつ。

〝完璧なリズムをもつ〟彼は力をこめて、ボールペンの先で優美な筆跡を何度もなぞった。

〝完璧なリズムをかなでる〟

そのほうがいい。彼は心のリズムにあわせて、ふたたびペンを紙に打ちつけた。

トントン、トントン、トントン。

遅くも速くも、弱くも強くもできる。女性たちを殺したときの、血の音楽にあわせて。

「リズムをもつ」と、いってみる。「いや、ちがう」

〝すべては完璧なリズムをかなでる〟

「いや、ちがう」

ペンがトントンと音をたてる。

「ロッコ殿」ジャン・バプティストは書きついだ。「ポーランドへいくことを、危ない人間に教えるはずはない。きみは臆病者だからね」

トントントン。

「だれに話したのだ？　ジャン・ポールか？」死んだ弁護士あてに書く。

トントントントントントントントン。

「おい、毛玉！　ラジオをつけてるぞ」ケダモノがどなった。「いやあ、きこえなくて残念だな。おまえの弁護士のことをまたいってるぞ。ニュース速報だ。遺書が見つかったらしいぞ。おまえの弁護をしたことで、命がちぢんだと書いてあったそうだ。わかったか？」

「うるさいぞ、ケダモノ」

「いいかげんにしろよ、ケダモノ」

「へたな冗談はやめろ」

「たばこが吸いてえな。なんで吸わせてくれないんだ！」

「健康に悪いからよ」

「たばこを吸うと死ぬぞ。箱にちゃんとそう書いてある」

アトキンス・ダイエットはルーシーにぴったりのダイエット法だ。昔から甘いものは好きではないし、パスタやパンがなくても平気だからだ。

彼女が気をつけなければならないのは、ビールとワインだ。セントラルパーク・ウエストにあるジェイミー・バーガーのペントハウスでも、ルーシーはそれらをことわった。

「無理にとはいわないわ」バーガーはピノ・グリージョのボトルを、冷蔵庫の上段にもどした。そこは虫食いのクリ材でできた戸棚と、みかげ石のカウンターがある美しいキッチンだ。「わたしも本当はのまないほうがいいの。ただでさえ物忘れがひどいからね、最近は」

「忘れてもらったほうがいいこともあるわ」と、ルーシーがいう。「わたしも忘れたいことがあるけど」

ルーシーが最後にバーガーのペントハウスへきたのは、三ヵ月ほど前だ。そのときはバーガーの夫が酔っぱらってルーシーとけんかになり、バーガーがルーシーにもう帰ってちょうだいとたのむはめになった。

「あのことはもう忘れたわよ」バーガーは笑っていった。

「今日は彼、いないのよね」ルーシーは念をおした。「家へきても大丈夫、とあなたがいったのよ」

「わたしがうそをつくと思う?」

「そうねえ……」ルーシーはふざけていった。

ふたりとも軽い調子でいっているが、そのけんかは壮絶なものだった。バーガーは社交的な集まりでこんなに激しいやりとりがおこなわれるのは、見たことがなかった。ルーシーと夫がなぐりあいをはじめるのでは、と本気で心配した。そうなったらルーシーが勝つだろう。

「彼はわたしが大きらいなのよ」ルーシーはそういって、カットオフジーンズの尻ポケットから、おりたたんだ紙のたばをとりだした。

バーガーはそれには答えず、丈の高いビール用グラスにスパークリング・ウォーターをついでいる。またキッチンへいき、くし形に切ったライムをいれたボウルを冷蔵庫からとりだした。今夜はやわらかな生地の白いウォームアップ・スーツにソックスというカジュアルなかっこうをしているが、やはりくつろいでいるようには見えない。

ルーシーはそわそわして、紙をまたポケットにもどした。「わたしたち、また前みたいにうちとけられるかしら、ね、ジェイミー? あの一件以来、何かが変わってしまって……」

「前と同じってわけにはいかないでしょうね」

バーガーが検察官という職業についているというのに、彼女の夫は悪徳不動産業者だ。ルーシーにいわせると、ロッコ・カジアーノといい勝負の、えげつない人物だ。

「まじめな話。彼、いつ帰ってくるの？　もうすぐということなら、わたしはおいとまするわ」ルーシーは彼女を見つめていった。

「もし早く帰ってくるなら、あなたをここへはよばないわ。彼、スコッツデールで会合にでているの。アリゾナ州のスコッツデールよ。砂漠のなかの」

「爬虫類《はちゅうるい》やサボテンといっしょにいるわけね。彼にぴったり」

「やめて、ルーシー。わたしが結婚相手をまちがえたことと、あなたが子供のころにお母さんがあなたをほったらかしにして、つまらない男とつぎつぎにつきあったこととは、何の関係もないのよ。このことは前にも話しあったことがあるでしょう」

「でもどうしてもわからない。いったいなぜ……」

「その話はやめましょう。過去のことなんだから」バーガーはためいきをつき、サン・ペレグリノのびんを冷蔵庫にもどした。「何度いったらわかるの？」

「そうね。もうすんだことですものね。じゃもっと重要なことを話しましょう」

「それが重要ではないとはいってないわ」バーガーはのみものを居間へはこんだ。「もうやめましょうよ。ここへきてくれたんだもの。きてくれてうれしいわ。だから楽しくやりましょう」

窓からはハドソン川が見える。アパートのこちら側は、セントラルパークが見える正面の側よりながめが悪いとされている。しかしバーガーは水が大好きだ。クルーズ船が埠頭にはいるのを見るのが楽しい。もし木が好きだったら、ニューヨークには住まない、と何度もルーシーに話している。水が好きでもニューヨークには住まないほうがいいんじゃない、とルーシーはいつも答える。

「いいながめね。値段の安いほうの側にしては悪くないわ」と、ルーシーがいう。

「いやなやつね、あなたって」

「よくわかってるわ」

「気の毒なルーディはよくあなたをがまんしてるわね」

「なぜかわからない。仕事が好きなんでしょうね」

ルーシーはオーストリッチ革のカウチにくつろいですわった。はだしの足を組んでいる。彼女の動きや心の状態に反応して、筋肉は独自のことばを発する。ルーシー自身は、自分がどのように見えるかをまったく意識せずに行動している。彼女が激しい運動をするのは、悩みや苦しみを忘れるために、そうせずにはいられないからだ。

ジャン・バプティストはうすいウールの毛布のうえに横たわった。

毎晩、汗でぐっしょりぬらす毛布だ。

彼はひんやりしたかたい壁に、背中をおしあてた。といっても、ロッコは死んではいない。ジャン・バプティストはこんなごまかしにおどらされはしない。この小細工の目的が何なのかはよくわからない。ああ、そうか。おびえさせるためだな。この陰謀の裏には父がひそんでいるにちがいない。裏切りのむくいは苦痛と死だ。たとえ裏切り者が偉大なシャンドンの息子であっても。父はジャン・バプティストにそう警告しているのだ。

警告。

もうすぐ死ぬからといって、秘密をもらしたら承知しないぞということか。

ハハハ。

敵はどんなときでもジャン・バプティストに苦痛と死をもたらそうとする。

密告するな。

しゃべりたければしゃべるぞ。ハハハ！　おれはジャン・バプティスト。死を支配しているのだから。

自殺するのは簡単だ。シーツをねじって首のまわりに結び、もう一方のはしを鉄の寝台の脚に結びつければいい。あっというまにできる。首をつることについてみんな誤解している。高さは必要ない。ある種の姿勢をとればことたりる。たとえば足を組んで床にすわり、全体重をかけて前かがみになる。こうすると血管に圧力がかかる。数秒で意識が失われ、やがて死がおとずれる。彼には恐怖感はない。もし生命を絶つのなら、まず肉体を超越する。そしてそれから何をするかは、すべて魂が指示するだろう。

しかしジャン・バプティストはこのような形で自分の生命を終わらせはしない。大きな楽しみが待っているのだから。彼の魂は死刑囚監房のせまくるしい独房をぬけだし、未来へと飛んだ。いま彼はすわって、プレキシガラスの向こうにいるスカーペッタを見つめている。むさぼるようにその全身をながめ、彼女の家《シャトー》へ巧みにはいりこんで、その頭をハンマーでたたきつぶそうとしたときのことを思いだしている。スカーペッタはそれによってえられるはずのエクスタシーを拒んだ。自分の血をジャン・バプティストに与えることを拒否した。けれどもいま、彼女は謙虚に、愛しい彼のもとへやってきた。自分がしたことのおろかさに気づいたのだ。彼女はホルマリンで彼の目を焼いて、彼を傷つけた。ホルマリンは死の薬品だ。スカーペッタはそれをジャン・バプティストの顔にかけた。有害な液体は一時的に彼の磁力を失わせた。そして激しい苦痛により、彼は肉体のなかにとじこめられて生きることの惨めさを、つかのま味わった。

マダム・スカーペッタは至上の存在となった彼を、永遠にあがめるだろう。彼は宇宙を通じて自らの優越性を人類に知らしめる。ポーがフィラデルフィアのある紳士という偽名を使って書いたように。もちろん、あの匿名《とくめい》の作家はポーにほかならない。ジャン・バプティストがリッチモンド病院で拘束され、意識が朦朧《もうろう》としていたとき、ポーの魂が彼のもとへやってきた。ポーはリッチモンドで育っており、その魂はまだそこにとどまっているのだ。

ポーはジャン・バプティストにこのように告げた。「霊感を受けて書いたわたしのことばを読みなさい。そうすれば知力から解放されるだろう。友よ、あなたにはもはや知力は必要ない。今後はべつの力によって活力を与えられる。もはや苦痛や感情にわずらわされることはないだろう」

五十六ページと五十七ページ。ジャン・バプティストの理性の発達は終わった。病気も不調ももはやない。あるのは心の声とすばらしい輝きだけだ。

だれだ、そこにいるのは？

ジャン・バプティストは毛布のしたで毛むくじゃらの手をいそがしく動かしている。滝のように流れる汗のにおいが強くなり、彼は欲望を満足させられないいらだちに、叫び声をあげた。

77

ルーシーはおりたたんだ紙のたばを尻ポケットからとりだした。バーガーもカウチのところへきて、となりにすわった。

「警察と検屍の報告書よ」ルーシーが彼女にいった。

バーガーはコンピューターのプリントアウトを受けとり、注意深く、だが手早くそれらに目をとおした。「裕福なアメリカ人弁護士。仕事でたびたびシチェチンをおとずれる。いつもラディソンホテルにとまる。小口径のピストルで右こめかみを撃って自殺したもよう。服は着ており、大小便をもらしていた。血中アルコール濃度は〇・二六」顔をあげてルーシーを見る。

「彼は大酒のみだったから、それぐらいはどうってことないんじゃない」と、ルーシーはいった。

バーガーはまた読みはじめた。報告書は詳細をきわめており、排泄物で汚れたカシミヤのズボンやブリーフ、タオルのことや、シャンパンの空きびん、半分からになったウォッカのびんのこともしるされている。

「彼は吐いたようね。ええと、それから」バーガーはつづけた。「ドレッサーのいちばん下の引き出しに、アメリカのお札で二千四百ドルはいっていた。ソックスのなかに隠して。それから金時計と金の指輪と金のチェーン。何かをとられた形跡はない。銃声をきいたものはいない。すくなくともきいたという報告はない。食事をしたあとがあった。ステーキとベークドポテト、エビのカクテル、チョコレートケーキ、ウォッカ。二十六日の夜、八時ごろにロッコからルームサービスをたのまれたような気がするけど、たしかではない、と厨房《ちゅうぼう》で働いている人――名前の発音がわからない――はいっている。シャンパンの出所は不明だけど、その銘柄はホテルがいれているものと同じ。ボトルについていた指紋はロッコ・カジアーノのものだけ……部屋のなか、それから回収された薬莢一個とピストルからも、ロッコの指紋しか見つかっていない。彼の手からは銃の発射薬残渣《ざんさ》が検出された、などなど。かなり徹底的に調べたようね」顔をあげてルーシーを見る。「警察の報告書、これでまだ半分もいっていないのよ」

「目撃者は？　あやしい人物とか……」

「いないようね」バーガーはページを一枚めくって、たばの後ろに重ねた。「検屍の結果……ええと……心臓と肝臓に異常。意外ではないわね。アテローム動脈硬化症、などなど。銃創は接射、傷のふちが裂けて焦げている。火薬輪は見られず。即死……あなたのおばさんがきいたら怒るでしょうね。だれかが即死したという言いかたが、大きらいだから。瞬間的に死ぬなんてことはありえない。そうよね、ルーシー？」バーガーはめがねのふちごしにルーシーと目をあわせた。「ロッコはどれぐらいで死んだと思う？　数秒か数分、それとも一時間？」

ルーシーは答えない。

「遺体が発見されたのは四月二十八日、午前九時十五分……」バーガーはふしぎそうにルーシーを見た。「死亡してから四十時間たらず。二日とたっていないときね」まゆをよせる。「遺体を発見したのは……名前を発音できないけど、メンテナンスの作業員。遺体は腐乱していた」そこで間をおく。「うじ虫がたかっていた」

バーガーは顔をあげた。「腐敗がかなりすすんでいたということね。死亡してからさほど時間がたっていないし、遺体があった部屋は比較的涼しかったようなのに」

「涼しかった？　部屋の温度も書いてあるの？」ルーシーは首をのばして、自分には意味のわからないプリントアウトを見た。

「窓がすこしあいていて、室温は二十度だったとあるわ。サーモスタットは二十三度にセットされていたらしいけど。気温は低くて、日中は十五、六度、夜は十二、三度。雨で……」

バーガーは顔をしかめた。「わたしのフランス語、どうもさびついてきたわ。ええと。殺人の疑いはない。ロッコ・カジアーノがルームサービスをたのんだ晩、というか、ルームサービス係が日をまちがっていないとすると、たのんだとされる晩、ホテルでは何も変わったことはおきていない。ええと」と、記述を見る。「売春婦がロビーで騒いだらしいけど。どんな女性だったかも書いてある。おもしろいわね。その人に証言させたいわ」

バーガーは顔をあげた。ルーシーの目をじっと見つめる。

「まあ、死亡時刻を特定するのがむずかしいことはわかっているし」バーガーの口調は、ルーシーを落ち着かない気分にさせる。「それにロッコが最後に食事をした日と時間を、警察ははっきりつかんでいないらしい。ホテルはルームサービスの注文をコンピューターで記録していないの」

バーガーはすわったまま身をのりだした。ルーシーは見おぼえのあるその表情に、不安をかきたてられた。

「あなたのおばさんに電話して、死亡時刻のことをきいてみる？　われらがよき友人のマリーノ刑事に電話して、ロビーにいた騒がしい売春婦のことをどう思うか、きいてみましょうか？　この報告書の人相書きによると、ちょっとあなたに似ているみたい。彼女は外国人だったらしいけど。ロシア人かもね」

バーガーはカウチから立ちあがり、窓のそばへいって外をながめた。首をふり、指で髪をすく。ふりむいたとき、その目はカーテンでおおわれているかのように無表情だった。彼女は自衛のため、ほとんどいつもそのカーテンをひいている。

検察官による尋問がはじまろうとしていた。

78

ルーシーは、ニューヨーク地区検事局の四階にある会議室に、バーガーとふたりでいるような気がした。ほこりまみれの窓から外をのぞくと、ダウンタウンの古いビルが四方からせまってきているように見える。バーガーは鍵《かぎ》状のもようがふちのまわりについた紙コップで、ブラックコーヒーをのんでいる。ルーシーがこれまでに立ち会った面接では、いつもそうだった。ルーシーはさまざまな理由から、バーガーによる面接を何度も見ている。バーガーがいわばギヤチェンジするときの音や感じはわかっている。追及し、加害者やうそをついている証人と正面からぶつかるときの、彼女のエンジンの調子も知りぬいている。いまやその力強いマシーンはルーシーにむかってきている。彼女はほっとすると同時に、すくみあがっている。

「いままでベルリンにいたのね。ベルリンで黒いメルセデスを借りた」と、バーガーがいう。「ニューヨークへ帰るときの便では、ルーディがいっしょだった……つまり、あなたの『夫』のフレデリック・マリンズなる人物はルーディでしょう。ルフトハンザ、それから英国航空でとなりにすわっていたのよね。どうしてわかったかききたい、ミセス・マリンズ？」

「ひどい偽名よね。最悪だわ」ルーシーは気力がなえるのを感じた。「名前を考えるのはね。どうも……」場ちがいな笑い声をあげる。

「質問に答えて。そのミセス・マリンズとやらについて話してちょうだい。彼女はなぜベルリンへいったの？」バーガーの顔はきびしく、目には怒りがうかんでいる。おそれから生じた怒りだ。「これからわたしがきかされるのは、とても笑えるような話ではないと思うわ、たぶん」

ルーシーは水滴のついたグラスとその底にしずんだライム、たちのぼる泡を見つめた。

「あなたのブリーフケースに、帰りの航空券の半ぺらとレンタカーのレシートがはいっていた。ブリーフケースはあなたのデスクのうえにおいてあった。例によって、あけっぱなしでね」と、バーガーがいう。

ルーシーはあいかわらず無表情のままだ。バーガーがどんなものでも見逃さないこと、かってにどこへでもはいりこむことは、よくわかっている。

「わたしに見せたかったのかもね」

「わからない。そんなつもりではなかったけど」ルーシーは低い声で答えた。

バーガーは窓に目をやり、タグボートに引かれてゆっくり港にもどってくるクルーズ船をながめた。

ルーシーはそわそわと足を組みなおす。

「それで、ロッコ・カジアーノは自殺したわけね。ヨーロッパにいるあいだに、偶然彼に会ったりはしなかった？　あなたがたまたまシチェチンにいたとはいわないわ。でもポーランド北部のあのあたりへ旅行する人は、たいていそこからベルリンへいくでしょう。あなたとルーディがやったように」

「あなたはやっぱりすご腕の検察官ね」ルーシーはうつむいたまま、おどけた調子でいった。「直接尋問だろうと反対尋問だろうと、あなたの手にかかったらわたし、ひとたまりもないわ」

「そんな状況は想像したくもない。まったくもう。ミスター・カジアーノ。ミスター・ジャン・バプティスト・シャンドンの弁護士。というか、弁護士だった人物。頭に銃弾を受けて死亡。あなたは満足でしょうね」

「彼はマリーノを殺すつもりだったのよ」

「だれにきいたの? ロッコ、それともマリーノ?」

「ロッコ」ルーシーはやっとのことでいった。

自分は深くかかわりすぎている。ここまできたらもう遅い。彼女は身の証《あかし》をたてたいという強い欲求にかられた。

「ホテルの彼の部屋で」ルーシーはいいたした。

「なんてこと」バーガーがつぶやく。

「やらないわけにいかなかったのよ、ジェイミー。兵士たちがイラクでやったこと。それと同じよ。わからない、ジェイミー?」

「わからないわ」バーガーはまた首をふった。「いったいなぜそんなことができたのか」

「彼は死にたがってたのよ」

ルーシーはペルシャ絨毯《じゅうたん》のうえに立っている。彼女がこれまでに見たなかでもっとも美しい絨毯だ。過去にジェイミー・バーガーと楽しくすごしたときにも、何度となくそのうえに立っている。

ふたりは居間にいるが、遠くはなれている。

「あなたが娼婦のかっこうをして、酔っぱらいと言い争いをしたなんて信じられない」バーガーはつづけた。「かなりずさんな仕事ぶりね」

「へまをしたの」

「へまもいいところだわ」

「もどらなきゃならなかったの。特殊警棒を忘れたもので」

「ふたりのうちどっちが引き金をひいたの？」

ルーシーはそうきかれて動揺した。思いだしたくなかった。

「ロッコはマリーノを殺そうと計画していた。自分の父親を」ルーシーはまたいった。「マリーノが今度魚釣りにいったとき、ロッコはそこで彼を殺すつもりだったの。ロッコは死にたがっていたのよ。自殺したようなものだわ」

バーガーは手をしっかり組んで、街をながめている。「自殺したようなもの。あなたは彼を殺したようなもの。死んだようなもの、妊娠したようなもの、偽証したようなものというのと同じね」

「やらざるをえなかったのよ」

バーガーはこの話をききたくない。だがきかざるをえない。

「本当よ、うそじゃない」

バーガーは無言だ。

「彼には赤手配書がでていたのよ。どっちみち死ぬはずだった。シャンドン一家が彼をやったでしょうから。それも残酷なやりかたで」

「慈悲的動機による殺人を主張するわけね」バーガーがやっと口をひらいた。

「アメリカの兵士がイラクでやったこととどうちがうの？」

「今度は世界平和が弁護の焦点ね」

「どっちみちロッコの命はもうなかったのよ」

「つぎは彼がすでに死んでいたという主張ね」

「からかわないで、ジェイミー！」

「よくやったとほめろというの？　あなたはわたしもこけにしたのよ。だってわたしは知ってしまったんですもの。知ってしまった」バーガーは一言一言をかみしめるようにいう。

「わたしをばかだと思ってるの？　まったく！　わたしはそこにすわって」ぱっとこちらに向きなおり、ルーシーに指をつきつける。「そのいまいましい報告書を訳してあげたのよ。わたしのオフィスへきて人を殺したことを告白して、わたしにこういえというようなものね。心配しないで、ルーシー、だれだって間違うことはあるんだから。または、ポーランドでおこった事件だからわたしの管轄ではない、なかったことにしましょう。あるいは、話してちょうだい、それで気分が楽になるなら。あなたといっしょのときは、わたしは本物の検察官ではない、ふたりだけのとき、自宅にいるときは、仕事はぬき、とでも思ってるの？」

80

「光のように白く、まばゆい火花を散らす流体。四十七ページ！　だれだ、そこにいるのは！」

「いいかげんにしろ！」格子窓からふたつの目がのぞいた。さっきとはべつの目だ。

ジャン・バプティストは目の熱気を感じた。熾《おき》のようなほのかな熱にすぎない。

「シャンドン、だまれ、ちくしょうめ！　何ページ、何ページというのをやめろ。それをきかされるのはもううんざりだ。本か何か隠してるのか？」風にあおられた火花のように、目が独房のなかをとびまわる。「その汚い手をズボンのなかからだせ、ちびちんぽめ！」ききなれたあざけりの笑い。「ちびちんぽ、ちびちんぽ！　ちびちんぽ、ちびちんぽ……！」

ケダモノの声は地獄からきこえてくるかのようだ。

ジャン・バプティストはケダモノから六メートルのところまで近づいたことがある。ジャン・バプティストの格子窓から、一階下の屋内運動場までの距離がそれぐらいなのだ。

運動する許可を与えられている死刑囚は、動物園のおりのように太い金網で四方をかこまれた長方形の床のうえで、一時間すごすことができる。だがそのあいだにやれることはたいしてない。人気があるのは輪なげだ。ただ歩くだけでもよい。ジャン・バプティストの計算だと、七十周するとほぼ一マイルになる。彼以外にはだれもそんなことはしない。ジャン・バプティストは週一回運動することを許されており、そのときはいつも走って七十周する。独房棟のほかの囚人たちが意地の悪い目で彼を見るが、気にしない。その目は、虫めがねで陽光を集めたときにできる小さな熱い点のようだ。

彼らはいつものように無礼なことばをあびせる。囚人が遠くからお互いの姿を見たり、しゃべったりできるのは、このレクリエーションの時間だけだ。彼らはおおむね親しみのこった会話をかわす。冗談をいうこともある。けれどもジャン・バプティストに親しげに話しかけるものはいない。彼はからかわれるだけで、いっしょに楽しむことはない。だがそんなことは気にもならない。

ジャン・バプティストはケダモノのことをくわしく知っている。ケダモノは模範囚と見なされてはいないが、彼とはちがっていろいろなことを許されている。毎日運動することや、ラジオをもつことなどだ。ジャン・バプティストがケダモノのすべてを知ったのは、ケダモノがふたりの看守につれられて屋内運動場へきたときだ。ケダモノは病んだエネルギーを、ジャン・バプティストの房の扉へ送ってきた。

ジャン・バプティストは毛におおわれた顔を、窓の格子のあいだからのぞかせた。見ておこう。いつかケダモノが役に立つかもしれない。

「見てろ、タマナシ！」ケダモノは彼に向かってどなり、シャツをぬいで、もりあがった筋肉を収縮させた。太い腕と同じように、その胸は入れ墨でほとんどまっ黒だ。彼は床にうつぶせになり、片手で腕立てふせをはじめた。ジャン・バプティストは格子窓から顔をひっこめたが、その前にケダモノを注意深く観察した。彼は肌がなめらかで、うすい褐色の毛がたくましい胸から腹にかけてもじゃもじゃとはえ、鼠蹊部《そけいぶ》へとつづいている。顔はハンサムだが、いかにも冷酷そうだ。がっしりしたあご、白い歯、まっすぐな鼻、はしばみ色の冷たい目。映画にでてくる暴漢のようだ。

彼は髪をごく短く刈っている。荒っぽいセックスをして女をなぐるタイプに見えるが、実は女の子を誘拐して痛めつけて殺し、死体とセックスすることを好む。浅く埋めておいた死体をあとで掘りだし、異常な行為にふけることもある。腐敗がひどくなってがまんできなくなるまで、それをくりかえす。

この男がケダモノと呼ばれるのは、獣のような風貌だからではなく、獣のように死骸を掘りだすからだ。被害者の遺体を食べたこともあるとうわさされている。死刑囚監房にいる凶悪な犯罪者たちも、屍姦とカニバリズム《人肉嗜食》とペドフィリア《小児性愛》には嫌悪感を抱くのがふつうだ。レイプする、首を絞める、めった切りにする、手足を切断する、被害者を鎖で地下室につないでおくといった大それた犯罪（ここにあげたのはそのごく一部）をおかした連中にとっても、子供や死体を陵辱《りようじよく》したり人肉を食ったりするのは、許しがたい行為だ。したがってケダモノと同じ独房棟には、彼を殺してやりたいと思っている囚人が何人もいる。

ジャン・バプティストは、ケダモノをぶちのめしたり、彼ののど笛をつぶしたりする方法をあれこれ考えながら、チャンスがおとずれるのを待ったりはしない。そんなことをしても無駄だ。どうせ三メートル以内に近づくことはできないのだから。囚人たちを互いにはなしておく必要があるのはあきらかだ。死刑囚がまだだれかを殺したところで、失うものは何もないのだから。もっともジャン・バプティストの場合は、もともと失うものなどひとつもない。失うものがないばかりか、得るものもない。彼にとって生きることには何の意味もなかった。生まれながらにして呪われたものは、残酷なことばでさまざまに形容される。ジャン・バプティストの場合は、記憶にあるかぎりずっとそうだった。

思いだしてみよう。

彼は体に磁気を与える金属の便器に腰かけて考えた。あれは三歳ごろのことだ。母親が彼を手荒くバスルームへつれていった。バスルームの窓からはセーヌ川が見える。それで必然的に彼はごくおさないころから、セーヌ川と水浴とを結びつけて考えるようになった。母は彼のきゃしゃな体に香水いりせっけんの泡をぬりつけて、じっとしているように命じた。そして純銀のとってのついた父親のかみそりで、彼の顔、腕、首、背中、足など全身にはえているやわらかな細い毛をそった。

うっかりして彼の指を切ってしまうこともある。ときには数本の指を傷つけることもあったが、そんなとき母親は自分の不器用さをたなにあげて、ジャン・バプティストをどなりつける。関節をそるのは、とりわけむずかしかった。この作業はやがて立ち消えになった。酔っぱらってどなりながら、ふるえる手で醜い息子の毛をそっていたミセス・シャンドンが、あるとき彼の左乳首を切り落としそうになった。父親はかかりつけの医師、ムッシュ・レイノーを呼んだ。医師は皮一枚でかろうじてぶらさがっている青白い乳首を、うぶ毛でおおわれたジャン・バプティストの胸にぬいつけた。血だらけの肌を針がさすたびに、おさない少年は悲鳴をあげた。ムッシュ・レイノーは、もう大きいんだから《アン・グラン・ギャルソン》がまんしなさい、と彼をさとした。

酔った母親は泣きながら手をもみしぼり、この性悪の小さなモンスター《ル・プティ・モンストル・ヴィラン》がじっとしていなかったからだ、と彼を責めた。使用人が床についた小さなモンスターの血をふいているあいだ、父親はフランス製のたばこを吸い、サルの衣装《アン・コステューム・ド・シンゲ》をつけて生まれた息子をもつことがいかに難儀かをうったえた。

ムッシュ・シャンドンは、ムッシュ・レイノーとは自由に話をし、冗談や不平をいうことができた。小さなモンスター、低能《ユヌ・エスペース・ダンベシル》、サルの衣装をつけて生まれてきた息子が家族といっしょにオテル・パルティキュリエに住んでいたとき――彼の寝室は地下にあった――ジャン・バプティストと接触することを許されていたのは、ムッシュ・レイノーだけだった。出生証明書もふくめて、医療記録はいっさいない。そうしたものがつくられないよう、ムッシュ・レイノーが手配した。彼が医師としてジャン・バプティストの世話をするのは、緊急事態のときだけだった。頭がひどく痛む、高熱がでる、やけどをする、手首や足首をくじく、つまさきをふまれるといった、おおかたの子供が医者にかかるようなふつうの病気やけがでは、呼ばれなかった。ムッシュ・レイノーはいまは年をとっている。彼の以前の患者である、悪名高いジャン・バプティストについての秘密を知るために、メディアが多額の謝礼をはらうことを約束しても、ムッシュ・レイノーはけっして口をわらないだろう。

81

ルーシーは恥ずかしさと恐怖に打ちひしがれていた。

ラディソンホテルの五一一号室でおこったことをバーガーに洗いざらい話したが、ロッコを撃ったのがだれかは教えていない。

「引き金をひいたのはどっちなの、ルーシー?」バーガーはあくまでも答えを要求する。

「どっちでも同じよ」

「質問に答えないということは、あなたなのね!」

ルーシーは黙っている。

バーガーはそのままの姿勢で、外を見ている。きらめく街の明かりの向こうにはハドソン川が黒々と横たわり、その先には点々と灯のともるニュージャージーの平らな市街地がつづいている。足をふみいれることのできない空間がふたりをへだてているように思えた。まるでバーガーが大きなガラス窓の向こうにいるかのようだ。

ルーシーはそっと彼女に近づいた。バーガーの肩のまるみにふれたかった。だがそんなことをしたら、彼女が永遠に手の届かないところへいってしまいそうでこわかった。バーガーが地上四十五階の空中から落ちていってしまうかのように、こころもとない。

「マリーノには話せない。ぜったい」と、ルーシーはいった。「おばさんにもよ。どんなことがあっても」

「あなたを憎むべきなんでしょうけど」バーガーがいう。

彼女はかすかに香水のにおいがする。強い香りのものを軽めにつけているようだ。夫のためではない、とルーシーは気づいた。彼は出張中なのだから。

「それを何と呼ぼうと、あなたとルーディは殺人をおかしたのよ」

「いいかたはいろいろあるわ。戦争の犠牲者。正当防衛。法による殺人。国土防衛。本来許されないような行為を正当化するためのことばはたくさんあるでしょう、ジェイミー。誓っていうけど、好きでやったんじゃない。復讐の快感なんて、まるでなかった。あいつはあわれむべき卑怯者よ。おいおい泣きながら、たったひとつのことだけ悔やんでた。とうとうけがまわってきたって。ひどいことばかりして、見下げはてた人生を送ってきたあげくによ。あんなやつがマリーノの息子だなんて、信じられない。遺伝子のどんなマーカーが結びついて、ロッコみたいな人間ができたのかしら?」

「ほかにこのことを知っているのは?」

「ルーディよ。それからあなた……」

「ほかには? だれかから指令があったの?」バーガーは追及の手をゆるめない。

ルーシーはベントンの偽装殺人のことや、バーガーにはいえないさまざまなできごとや会話のことを考えた。何年ものあいだ、彼女は激しい苦しみと怒りにさいなまれてきたのだ。

「かかわっている人は何人かいるわ。間接的にだけど。でもそれについてはいえないの。どうしても」

ベントンが実際は死んでいないことを、バーガーは知らない。

「ちゃんといってよ。かかわっている人ってだれのこと？」

「間接的にだっていったでしょ。それ以上はいえないわ」

「秘密の指令をだす連中って、ことがあかるみにでそうになると、姿を消してしまうものなのよ。あなたのいう何人かって、そういう人たち？　あなたに秘密の指令をだしたの？」

「ロッコの件についてではないわ」ロード上院議員のことやシャンドン・カルテルのことが頭にうかんだ。「ロッコが死ねばいいと思っていた人はたくさんいる、とだけいっておくわ。ただ、これまでそれを実現するのに十分な情報がなかっただけ。シャンドンが手紙をよこして、必要なことを教えてくれたの」

「なるほど。ジャン・バプティスト・シャンドンは信用できる相手というわけね。もちろんサイコパスはみんな信用できるものね。とにかく、間接的にかかわったという人たちは、もうみんな姿をくらましている。それだけはまちがいないわ」

「さあ、どうかしら。シャンドン・カルテルに関する指令はあるわよ。そう、その指令はずっと前からでてたわ。何年も前から。ＡＴＦにいたとき、マイアミでできるだけのことをした。でもうまくいかなかった。ルールのせいで」

「そうね。あなたとルールは相性がよくないのよね」バーガーのことばは冷ややかだ。

「ロッコの件に手をつけるまでは、成果があがらなかったわ」

「今回は上々の成果にちがいないわね。ひとつきくけどね、ルーシー。逃げきれると思ってるの?」

「そうよ」

「あなたとルーディはミスをおかしている。忘れた特殊警棒をとりにもどったとき、あなたは複数の人に目撃されている。それはとてもまずいわ。それから死亡の現場を演出しているる。プロの巧妙な手口でね。あまりに巧妙すぎるかもしれない。わたしだったら不審に思うわ。室内にも銃にも、シャンパンのボトルにも、ロッコの指紋しか残っていない。遺体の腐敗がすすんでいて、死亡時刻とあわないのもおかしいわ。それからハエのこと。ものすごい数のハエがたかっていた。クロバエは寒い時期にはあまりいないはずなのに」

「ヨーロッパでは寒くてもいるのよ。十度を切るようなところでも。どこにでもいる、胴が青く光るクロバエね。もちろん、本当はもっとあたたかいところを好むんだけど」

「ケイおばさんに教わったのね。おばさんがきいたら、さぞあなたを誇らしく思うでしょう」

「あなたはそりゃ不審に思うでしょう」ルーシーは自分たちのミスのことに話をもどす。

「あらゆることについて疑問をもつわよね。だからこそ、今日のあなたがあるわけでしょう」

「ポーランドの当局や法医学の専門家をあなどっちゃだめよ、ルーシー。ことはこれではおさまらないかもしれない。もしあなたが疑われても、わたしは助けてあげられないわ。この会話は証言拒否できる内密情報と考えることにする。いまはあなたの弁護士。検察官ではない。そんなのいんちきだけど、そうとでも考えるしかないわ。でもあなたに指令をだしたのがだれにせよ、いまあなたがひそかに電話をかけても、向こうからおりかえしかけてくることはない。指令を受けたのがいつだろうがね。相手はあなたの名前をきいても知らんぷりをする。閣議か何かの席で、あるいはザ・パームのような高級レストランでいっぱいやりながら、まゆをひそめて肩をすくめるだけ。さもなければ笑いとばすか。どこかの私立捜査官が熱心にやりすぎた話を」

「そんなことにはならないわ」

バーガーはゆっくりふりかえり、ルーシーの手首をつかんだ。「あなたは自信がありすぎて、ものが見えないんじゃないの？　こんなに頭がいいのに、どうしてこんなにばかなの？」

ルーシーの頬に血がのぼった。

バーガーはつづけた。

「世のなかには人を利用しようとするやつがいっぱいいるのよ。自由と正義のためと称して、とんでもないことにひっぱりこんだあげく、かすみのように消えてしまう。あれは幻だったということになる。こっちはやつらが実在したのかどうかもわからなくなってくる。そしてどこかの連邦刑務所で、あるいはひどいことに外国に身柄をひきわたされて、そこでやせ衰えていきながら、信じるようになる。ゆっくりと、でも確実に。あれはすべて妄想だったのだと。まわりはみな、こちらが妄想にとりつかれて頭がおかしくなったと思っているんだから。CIAだかFBI、ペンタゴン、女王陛下の秘密情報部、またはイースターのうさちゃんからの極秘の指令を受けたと思いこんで、人殺しをしたやつだと」

「やめて」ルーシーは叫んだ。「そんなんじゃないわ」

バーガーは両手をルーシーの肩に移動させた。「たまには人のいうことをききなさい！」

ルーシーは涙をこらえた。

「だれなの？」バーガーは強い調子できいた。「このいまわしい任務をあなたに与えたのは？　わたしの知っている人間？」

「おねがい、やめて！　どうしてもいえないの。いろんなことがあって……。ジェイミー、あなたは知らないほうがいいのよ。わたしを信じて」

「なんてことよ！」バーガーは肩をつかんだ手をゆるめたが、まだルーシーをはなさない。「なんてことなの、ルーシー。ごらんなさい。あなたふるえてるじゃない」

「そんなことしないで」ルーシーは腹立たしげにバーガーから身をはなした。「子供じゃないのよ。わたしにさわるときは……」さらに二、三歩さがる。「あなたがわたしにさわるときは、何かほかの意味があるのよ。いまだってそう。だからやめて。やめてちょうだい」

「たしかにそうね。ごめんなさい」

82

午後十時。スカーペッタはジェイミー・バーガーのアパートの前でタクシーをおりた。

いまだにルーシーと連絡がつかず、電話をかけるたびに不安がつのっていた。ルーシーは自宅の電話にも携帯電話にもでない。オフィスの同僚も居所を知らないという。むこうみずで血気にはやる姪のことを思い、最悪の場合を覚悟しはじめていた。ルーシーの新しい仕事については、まだ釈然としない気持ちがある。きちんとした組織に属さず、危険に身をさらしながら極秘裏にすすめる仕事だ。本人の性格にはあうかもしれない。だがこちらは落ち着かないし、心配でならない。ルーシーをつかまえるのは至難のわざだ。彼女が何をしているのかもわからないことが多い。

ジェイミーが住む豪華な高層アパートにはいると、ドアマンがスカーペッタに声をかけた。

「奥様、どちらへ？」

「ジェイミー・バーガーのところよ。ペントハウスの」

83

おばがエレベーターであがってくると知って、ルーシーは逃げだしたい衝動にかられた。

「落ち着きなさい」と、バーガーがいった。

「あたしがここにいることを知らないのよ。知られたくないわ。いまは顔をあわせられない」ルーシーはあわてている。

「いずれ会わなきゃならないのよ。いまだって同じことでしょ」

「でもここにいるって知らないのよ」ルーシーがまたいう。「何ていえばいいの？」

バーガーは妙な顔でルーシーを見た。ふたりはドアのそばに立って、エレベーターの音に耳をすましている。

「本当のことをいうのがそんなにまずいの？」バーガーは腹立たしげにいった。「いえるはずでしょう。たまにはね、本当のことをいうとすっきりするわよ」

「あたしはうそつきじゃないわ。うそだけはつかない。仕事のうえで必要なとき、とくに秘密工作にかかわっているとき以外はね」

「問題はその区別がはっきりしない場合ね」バーガーがいったとき、エレベーターが到着した。「居間へいってすわってなさい」子供にいうような調子だ。「わたしがまず話をするわ」

エレベーターホールは大理石でできていた。磨きあげられた真鍮のエレベーターの向かいにはテーブルがあり、花がいけてある。バーガーがスカーペッタに会うのは数年ぶりだ。エレベーターからおりてきたスカーペッタを見て驚いた。ケイ・スカーペッタは疲れきっているようだった。スーツはしわだらけで、不安そうな目をしている。

「だれも電話にでてくれないの」彼女は口をひらくなりいった。「マリーノもルーシーもあなたも。あなたの電話はずっと話し中だったわ。一時間も。だから、だれかいるにはちがいないと思ったわけ」

「受話器をはずしていたの……邪魔がはいらないように」

スカーペッタはわけがわからない。「いきなりおしかけてきてごめんなさい。わたし、必死なのよ、ジェイミー」

「そのようね。なかにはいる前にいっとくけど、ルーシーがきてるわ」バーガーは事務的にいった。「驚かせたくなかったから。でも、ほっとしたでしょう」

「まだすっかり安心したわけじゃないわ。ルーシーのオフィスでは何も教えてくれなかった。つまり、そうするようルーシーが指示したってことでしょう」

「ケイ、どうぞはいって」

ふたりは居間へはいっていった。

「ひさしぶり」ルーシーはおばを抱きしめた。

スカーペッタは硬い表情をくずさない。「どうしてわたしにこんなひどいことをするの?」

バーガーがそばにいるのもかまわず問いただす。

「ひどいことって?」ルーシーはカウチにすわった。「こっちへきて」スカーペッタを手招きする。「あなたもよ、ジェイミー」

「おばさんに話すつもりならね。そうでないなら、わたしは会話に加わりたくないわ」と、バーガーがいう。

「話すって何を?」スカーペッタはルーシーのとなりに腰をおろした。「何を話すの、ルーシー?」

「ロッコ・カジアーノがポーランドで自殺したとされている話、きいているでしょう」バーガーが口をはさんだ。

「今日は何もニュースをきいていないわ。ずっと電話をかけているか、飛行機にのっているか、タクシーにのっているかだったんですもの。そしていまはここにいる。自殺したとされているって、どういうこと?」

ルーシーは足元に視線をおとしたまま、何もいわない。バーガーは居間のはしに立って、やはり黙っている。

「あなたは何日も姿が見えなかったわね。だれも居所を教えてくれなかった」スカーペッタは静かにいった。「ポーランドにいたの?」

長い沈黙のあと、ルーシーは顔をあげた。「そうよ」

「まあ」スカーペッタはつぶやいて、「自殺したとされている、ですって」と、くりかえした。

ルーシーはシャンドンからの手紙によって、殺害されたふたりのジャーナリストや、ロッコの居所についての情報をえたことを説明した。それからインターポールの赤手配書についても話した。

「それでルーディとわたしはロッコのところへいったの。彼はシチェチンで汚い仕事をするときにいつも使うホテルにとまっていた。赤手配書がでていることを教えてやったら、もうこれまでだと悟ったのね。これでおしまいだと。逮捕されようがされまいが、シャンドン一家は彼をいかしてはおかないでしょうから」

「それで自殺したのね」スカーペッタはまっすぐルーシーの目を見て、真実をさぐろうとした。

ルーシーは答えない。バーガーは部屋をでていった。

「インターポールはその情報を公表しているわ」ルーシーはあまり意味のないことをいった。「警察も自殺だといっている」

それをきいてスカーペッタはとりあえず気持ちが楽になった。さらにつっこんでたずねる気力はない。

彼女はブリーフケースをあけて、シャンドンの手紙をルーシーに見せた。ルーシーはバーガーの仕事場にはいっていった。

「きてちょうだい」と、ルーシーは切りだした。

「いやよ」バーガーの目には失望の色がうかんでいる。ルーシーを責めているようだ。「どうしてうそをつくの？」

「うそなんかついていないわ」

「都合の悪いことをぬかしただけね。真実をすべて話しなさい、ルーシー」

「そうするわ。時機をみてね。おばさんのところにもシャンドンから手紙がきてるの。見てみて。何か妙なことがおこっているみたい」

「そのようね」バーガーはデスクの前をはなれた。

ふたりは居間へもどり、ビニール袋にはいった手紙と封筒を見た。

「あたしが受けとった手紙とちがうわ」ルーシーがすぐにいった。「あたしのはブロック体だった。それに普通郵便じゃなかったわ。きっとロッコがかわりに郵送したのね。いろんなものを発送してやってたようだから。どうしてマリーノとあたしにはブロック体で書いたのかしら？」

「どんな紙に書いてあった？」スカーペッタがたずねる。

「ノートの紙よ。罫のはいったやつ」

「刑務所の売店にある紙は、白無地の一平方メートルあたり七十五グラムの普及品なの。プリンターに使う用紙と同じものよ」

「マリーノやあたしに手紙を送ったのがあいつじゃないとしたら、いったいだれなの?」ルーシーは頭がぼんやりしてきた。情報が多すぎて処理しきれない。

あの手紙に書かれていたことにもとづいて、ロッコを消すことを画策した。だがルーディといっしょに彼をホテルの部屋で拘束したとき、ロッコはジャーナリストを殺害したことは認めなかった。やれやれというように、目を天井に向けただけだった。そのしぐさが本当は何を意味していたのかはわからない。自分がインターポールに送った情報がはたして正確かどうかも不明だ。提供した情報は、逮捕するには十分だったが、有罪判決を導くには必ずしも十分ではない。事実がどうだったのか、ルーシーにもわからないのだから。ふたりのジャーナリストが殺害される数時間前に、ロッコが彼らに会っていたというのは、事実なのだろうか?　もしそうだとしても、ふたりを撃ったのは本当に彼だったのだろうか?

赤手配書の件については、ルーシーに責任がある。白状しようがしまいが、自分はもうおしまいだとロッコが悟ったのは、赤手配書のせいだ。彼は逃亡犯となった。ルーシーとルーディに死をせまられなくても、シャンドン一家に殺されていただろう。彼は死ぬべきだった。死ななければならなかった。ロッコがいなくなって、世の中は多少よくなったのだ、とルーシーは自分にいいきかせた。

「あのいまいましい手紙をあたしに送ったのはだれ?」と、ルーシーはいった。「マリーノあての手紙と、おばさんあての最初の手紙も、いったいだれが書いたの?」スカーペッタを見る。「全米司法アカデミー《NAJ》の、料金別納便の封筒で届いたのよね。シャンドンが書いたように思えるけど」

「わたしもそう思う」スカーペッタがいう。「バトンルージュの検視官《コロナー》のところにも一通届いているわ」

「シャンドンがこれを書いたときは、筆跡と紙を変えたのかもしれない」ルーシーはみごとな筆記体で書かれた手紙を指さした。「あのろくでなしは、もう刑務所にはいないのかも」

「あなたのオフィスにあった電話のことはきいたわ。ザックがわたしの携帯にかけてくれたの。シャンドンが刑務所にいるという前提は、もう成立しないと思う」スカーペッタが答えた。

「もし刑務所にいたら、罫のはいった紙や全米司法アカデミーの封筒は手にはいらないはずよね」と、バーガーがいった。「その別納の封筒の複製をコンピューターでつくるのは、むずかしい?」

「ああ、そうか、ばかみたい」と、ルーシーがいう。「いまの気持ち、とてもいえないわ。もちろん、そんなの簡単にできる。封筒をスキャンしてから好きなアドレスをタイプする。そして同じタイプの封筒にプリントアウトすればいい。あたしなら五分もあればできるわ」

バーガーはじっと彼女を見つめた。「あなたがやったの、ルーシー?」

ルーシーは啞然《あぜん》とした。「あたしが?　何のためにそんなことをするの?」

「自分ならすぐできるといまいったでしょう」バーガーは重々しい口調でいった。「あなたはいろんなことができるようね、ルーシー。とても都合よくいったじゃない。手紙にあった情報にもとづいて、あなたはロッコをさがしにポーランドへいった。そのロッコは死んだ。わたしはこの部屋からでていくわ。検察官として、これ以上うそや告白をききたくない。あなたとおばさんが話をしたいなら、どうぞそうして。そろそろ受話器をもどさなきゃ。いくつか電話するところがあるの」

「うそなんかついてないわ」と、ルーシーはいった。

84

「すわりなさい」スカーペッタがルーシーにいった。子供にいうような口調だ。

居間の明かりは消えており、ニューヨークのスカイラインがふたりをとりまいている。輝かしい可能性とあふれるエネルギー。スカーペッタには何時間見てもあきない光景だ。海をながめるのと同じように。ルーシーはカウチにすわっている彼女のとなりに腰をおろした。

「ここにいると気分がいいわ」スカーペッタは窓の外の、無数の灯を見ながらいった。

月をさがしたが、ビルに隠れて見えない。ルーシーは声をたてずに泣いていた。

「よく考えるんだけどね、ルーシー。わたしがあなたのほんとの母親だったら、どうなっていただろうって。あなたはこんな危険な世界を選んでいたかしら？　こんなにふてぶてしく、目をみはるほど荒々しく、その世界で暴れまわっていたかしら？　それとも結婚して、子供をうんでいたかしら？」

「答えはわかっているでしょう」ルーシーはつぶやいて、涙をぬぐった。

「ローズ奨学生としてオックスフォードで勉強して、有名な詩人になっていたかもしれないわね」

ルーシーは冗談かと思って、スカーペッタの顔を見た。どうやら本気らしい。

「もっとおだやかな生活を送っていたかも」彼女はやさしくつづけた。「わたしはあなたを育てた。もっと正確にいえば、できるかぎり面倒をみた。これ以上の愛情を子供にそそぐのは不可能というほど、あなたを愛した。いまも愛しているわ。でも、あなたはわたしの目をとおして、世界の醜さを知ってしまったのね」

「おばさんの目をとおして、あたしは社会の秩序や人間性、正義とは何かを知ったのよ。後悔はしていないわ」

「じゃ、なぜ泣くの？」遠くをとぶ飛行機に目をやった。それらは小惑星のように輝いている。

「わかんない」

スカーペッタはほほえんだ。「小さいころ、よくそういってたわね。あなたが悲しそうにしているとき、どうしたのときくと、いつもわかんないというの。だから、いまも悲しいんだろうってすぐわかるわ」

ルーシーはまた涙をふいた。

「ポーランドで何があったのかよく知らないけど」と、スカーペッタはいった。

彼女はカウチのうえで姿勢をかえ、じっくり話をきこうというように、背中のうしろにクッションをおいた。あいかわらず視線はルーシーをとおりこし、窓の外の光り輝く夜景に向けられている。気まずいことを話すときは、目をあわせないほうが楽なのだ。

「話してもらわなくてもいいのよ、ルーシー。でも話す必要があると思うの、あなたのほうが」

ルーシーも窓の外に目をやり、まわりにせまってくる街をながめた。暗い荒海と灯りのともった船が心にうかぶ。船といえば港だ。それはシャンドン一家と結びついている。港は彼らの犯罪取引の動脈だ。ロッコは血管のひとつにすぎなかったが、彼とスカーペッタ、そしてほかのみんなとのつながりは、断ち切る必要があった。

そうよ。しかたなかったのよ。

許してちょうだい、ケイおばさん。大丈夫よっていって。あたしを見捨てないで。やつらと同じだなんて思わないで。

「ベントンが死んでから、あなたは復讐の鬼になってしまった。罰を与えたくてうずうずしている。でもこの街のエネルギーを全部あわせても、あなたのその欲求を満足させることはできない」スカーペッタはあいかわらずやさしい口調で話しつづけた。「あなたにとってここは落ち着く場所だと思う」ふたりは地上でもっともエネルギーにあふれた街の灯りをながめている。「いつの日か、もてあますほどの力を手にいれたとき、その耐えがたい重さに気づくでしょうけどね」

「自分のことといってるのね」ルーシーの口調には悪意のかけらもない。「おばさんはアメリカでいちばん影響力のある検屍官だったわ。世界一だったかもしれない。検屍局長だったたんですもの。手にいれた力とそれにともなう責任は、たぶん耐えがたい重さだったんでしょうね」

ルーシーの美しい顔は、もうさほど悲しそうではない。

「耐えがたいように思えたことはいろいろあったわ。とてもたくさん。でも局長だったとき、自分の力を耐えがたいとは思わなかった。力を失ってはじめて、それが耐えがたいことだとわかったの。力についてのあなたとわたしの感じかたは、ちがうわ。わたしは何も証明しようとは思わない。あなたはいつも力の証《あかし》をえようとする。そんなものがまったく必要ないときでも」

「おばさんは力をなくしたわけじゃない。権力の座を追われたというのは、錯覚にすぎないわ。政治にまきこまれただけ。おばさんの本当の力は、外から与えられたものではない。だから外の人間がそれをとりあげることはできないわ」

「まったくベントンは何てことしてくれたのかしらね？」

ルーシーはスカーペッタの問いかけにどきりとした。何かのはずみに本当のことを知ってしまったのだろうか。

「彼が死んでから……いまだにそのことばを口にするのはつらい。でも死んだのよね」ことばがとぎれる。「それ以来、残されたわたしたちも滅びていくようね。敵に包囲された国みたいに。つぎつぎと都市が陥落していく。あなた、マリーノ、わたし。とくにあなたね」

「そうよ、あたしは復讐の鬼よ」ルーシーは立ちあがって窓のそばへいき、ジェイミーのみごとなアンティークの絨毯のうえに、足を組んですわった。「まさに復讐する者よ。認めるわ。この世がもっと安全な場所になると思ったの。おばさんにとっても、ほかのみんなにとっても。ロッコが死んだほうが」

「でも神さまのまねはできないわ。あなたはもう正規の法執行官ですらないのよ、ルーシー。ラスト・プリシンクトは私的な組織ですもの」

「そうでもないわ。あたしたちは国際的な法執行機関の勢力下にあって、彼らと連携して仕事しているんですもの。ふだんはインターポールのかげに隠れてね。くわしくは話せないけど、ほかの権力当局からも権限を与えられているのよ」

「その権力当局から、ロッコ・カジアーノを合法的にこの世から抹殺する権限を与えられたわけ？　ルーシー、引き金をひいたのはあなたなの？　それを知りたいの。それだけは」

ルーシーは首を横にふった。「いいえ、あたしは引き金をひかなかった。自分が撃つとルーディがいいはったから。それで火薬とロッコの血の飛沫《ひまつ》は、彼の手についた。あたしの手ではなく。ルーディの手だけがロッコの血をあびたの。フェアじゃないわね、そんなの」ルーシーはおばにそう話した。「ルーディにあんないやな思いをさせるべきではなかった。ロッコの死については、あたしにも同じだけ責任がある。というより、ほんとはあたしに全責任があるの。だってルーディがあの仕事のためにポーランドへいったのは、あたしがそそのかしたからなんですもの」

ふたりは夜遅くまで話しあった。シチェチンであったことをすべて打ちあけると、ルーシーは罪の宣告をまった。もっとも重い刑は、スカーペッタの人生から追放されることだ。ベントンのように。

「ロッコが死んでほっとしたわ」と、スカーペッタがいった。「すんだことを悔やんでもしようがない。いずれマリーノは、息子の身に本当は何がおきたのか知りたいと思うでしょうけど」

85

ドクター・ラニエは快方にむかっているようだったが、その声はひどく緊張していた。

「安全な滞在先は確保してくださった？」スカーペッタは彼にたずねた。六三番ストリートとレキシントン・アヴェニューの角にある、メルローズホテルのシングルルームから電話している。

しきりにすすめられるのをふりきって、ルーシーのところには泊まらないことにしたのだ。泊まってしまうと、彼女に知られずに朝空港へいくのは不可能だ。

「ルイジアナでいちばん安全な場所。わたしのゲストハウスです。小さいけれどね。どうしてそこかって？　ご存知でしょうけど、コンサルタントを招くための予算がないので……」

「あのね」スカーペッタは話をさえぎった。「まずヒューストンへいかなきゃならないの」くわしいことはいわずにおく。「そちらへいくのは、すくなくとももう一日先になるわ」

「迎えにいきますよ。時間さえ教えてもらえば」

「レンタカーを手配してもらえれば、それがいちばんありがたいわ。いまのところ、まだ全然予定をたてていないの。もう疲れきっていて。でも自分でいきます。ご迷惑をかけたくないので。お宅へのいきかただけ教えてくださる？」

スカーペッタは道順を書きとめた。わかりやすそうだ。

「車の種類について、何か希望は？」

「安全なのがいいわ」

「それはまかせてください」と、ドクター・ラニエは答えた。「危険な車から遺体をひっぱりだしたことが何度もあるのでね。すぐ秘書に手配させます」

86

トリクシーはカウンターによりかかり、メンソールたばこを吸いながら、むすっとした顔でマリーノを見ていた。マリーノはビールやランチョン・ミート、マスタードやマヨネーズのびんを、その大きな手で冷蔵庫からつかみだして、大型のアイスボックスにつめこんでいる。

「とっくに真夜中をすぎてんのよ」トリクシーは文句をいい、コロナビールのびんをつかんだ。ライムの大きなスライスを押しこんだので、首の長いびんの口がふさがっている。「ベッドにはいんなさいよ。それからでかけたら？　酔っぱらって、おまけにあわてまくって夜中にとびだすより、よっぽどいいじゃない」

ボストンから帰ってきて以来、マリーノはずっと酒びたりだった。テレビの前にすわったまま、電話が鳴ってもでず、だれとも口をきかなかった。ルーシーやスカーペッタとさえ話していない。ところが一時間ほど前、携帯電話にはいっていたルーシーのオフィスからのメッセージをきいて、マリーノは強烈な一撃をくらったような気がした。それはリクライニングチェアから彼の重い腰をあげさせるに十分だった。

トリクシーはびんをまっすぐもって、舌でライムを押しこもうとした。それがうまくいき、ビールが口のなかにほとばしりでて、あごへあふれだした。すこし前だったら、マリーノはそれを見て大笑いしただろう。だがいまは笑うどころではない。彼はフリーザーの扉をあけて製氷皿をとりだし、氷をアイスボックスにいれた。トリクシーの本当の名前はテリーサ。年は三十だ。マリーノの家に住むようになって、まだ一年とたっていない。そのちっぽけな家は、リッチモンドを流れるジェームズ川の、うらぶれたほうの側にある。ミドロジアン・ターンパイクをおりてすぐの、ブルーカラーの住む地域だ。

マリーノはたばこに火をつけ、トリクシーをながめた。彼女の顔はのみすぎでむくんでいた。マスカラがいつも目の下につくので、入れ墨をしているように見える。プラチナ色の髪は何度となく熱処理されてごわごわになっており、マリーノはそれにふれるのをいやがる。一度などは酔ったいきおいで、まるで絶縁材じゃねえか、といってしまった。彼女はマリーノのそうしたことばに傷つき、それを根にもっている。彼女の表情にそれらの件をむしかえす兆《きざ》しを認めるやいなや、マリーノは部屋をでていくか、ほかのことを考えるようにしている。

「いかないで」トリクシーは目いっぱいたばこを吸い、煙はほとんど吸いこまず、そのまま口のはしから吐きだした。「どうするつもりかわかってるわ。帰ってこない気ね。トラックに何をつみこんでるか見たわよ。銃にボウリングの球に、トロフィーや釣りざおまで。普段着はもちろん、イエスが十戒《じっかい》を書いたころからクローゼットにぶらさがってる、どうってことないスーツまで」

トリクシーはマリーノの前に立ちはだかり、アイスボックスの氷をならしているマリーノの腕をつかんだ。マリーノはたばこの煙に目を細めた。

「電話するよ。ルイジアナへいかなきゃならねえんだ。わかってるだろ。例の先生がそこにいるか、向かってるとこなんだ。彼女がどういう人間かはわかってる。何をしでかすつもりかもな。いわれなくてもわかる。先生が死んじまったらまずいだろ、トリクシー」

「先生がどうしたこうしたって、もううんざりよ！」トリクシーの表情がけわしくなった。まるで自分ではなく、相手がさわってきたかのように、マリーノの手をはらいのける。「知りあってからずっとよ。なにかっていうと先生の話をもちだす。正直にいいなさいよ。あんたにとって大事なのは、あの人だけなんでしょ。バスケットのチームでいえば、あたしはドラフト二巡目なのね」

マリーノはたじろいだ。トリクシーの、ピントのずれたたとえにはうんざりする。調子のはずれたピアノのようだ。

「あんたの人生がダンスパーティだとすると、あたしはだれからも誘ってもらえない壁の花よ」トリクシーはあいかわらずドラマチックなことばでいいつのる。内容は何もない。

たんなるドラマ。それもできの悪いメロドラマだ。

ふたりのけんかのほとんどは、毎度おなじみのものだ。心理学を忌みきらうマリーノでさえ、その原因について思いをめぐらさずにはいられない。それははっきりしている。彼とトリクシーがありとあらゆることでけんかするのは、本気で争うべき重要なことがらがふたりのあいだにないからだ。

トリクシーは赤いペディキュアがはげかけた、はだしの太い足で、キッチンをぺたぺたいったりきたりしている。肉づきのよい腕をふりまわすので、しみのついたリノリウムの床にたばこの灰がまいおちる。「それじゃルイジアナへいって、どうしたこうしたって先生とお近づきになりゃいいわ。帰ってきたときには――もし帰ってくるならの話だけど――あんたのこのごみためにはだれか知らない人が住んでるかもよ。あたしはもういないからね。お、さ、ら、ば、よ」

半時間ほど前、マリーノは家を売りにだすよう彼女にたのんだ。売れるまで住んでいてもかまわないともいってある。

トリクシーは、アセテートの花柄のバスローブのすそをひらひらさせながら歩きまわっていた。太いウエストにきつくしめたサッシュベルトのうえに、胸がたれている。マリーノはかっとすると同時に、罪の意識も感じた。スカーペッタのことでトリクシーに文句をいわれると、彼はいらだって巣から飛びだした鳥のように、どうすることもできなくなる。飛んでいくところもなく、身を守るすべもなく、やりかえす手段もない。

スカーペッタと何かあったかのようにほのめかすことで、傷ついた自尊心をなぐさめるわけにはいかない。残念ながら、彼女とのあいだにそのようなことがおこったことは、一度もないのだ。そこでトリクシーをはじめ、歴代の愛人たちが嫉妬にかられてはなつ矢は、彼の急所にささり、血をふきださせることになる。マリーノは、つきあう女性がみな去っていくことは気にしない。気にするのは、自分のものにならなかったひとりの女性のことだけだ。トリクシーのかんしゃくはいまやクレッシェンド《最高潮》に達しようとしている。そこまでいくと、一気に終結部へとなだれこむことになる。

「あの人に首ったけなのよね。まったくうんざりするわ」トリクシーはわめいた。「彼女にとっちゃ、あんたなんかただの大男の田舎者よ。これからだってずっとそうなんだから。図体がでかいだけの、でぶでまぬけな田舎者よ！」彼女は金切り声をあげた。「あの人が死体で見つかったって、かまやしないわ。どうせ死体にしか興味のない人なんでしょ！」

マリーノはアイスボックスを軽々ともちあげ、みすぼらしい散らかった居間をとおりぬけて、玄関で立ちどまった。ふりかえって三十六インチのカラーテレビに目をやる。新しくはないが、ソニー製で、まだまだりっぱなものだ。ついでお気に入りのリクライニングチェアを悲しそうに見つめた。そこにすわって人生の大半をすごしたようなものだ。胸がきりきりと痛んだ。フットボールを見たり、トリクシーのような女たちとつきあうことで、これまでにどれだけの時間とエネルギーを無駄にしたことだろう。

トリクシーは悪い女ではない。底意地が悪くはない。どの女もそうだった。ただみじめったらしいだけだ。だがマリーノはもっとみじめだった。その気になればできたのに、自堕落な生活からぬけだそうとしなかったからだ。

「やっぱり電話するのはやめにしたぜ」マリーノは彼女にいった。「この家がどうなろうと、知ったこっちゃねえや。売るなり、貸すなり、このまま住むなり、好きにしろ」

「本気じゃないんでしょ、ねえ、あんた」トリクシーは泣きだした。「愛してるのよ」

「おれがどんなやつか、知らねえんだよ」マリーノはドアのところで答えた。疲れきって出ていく気力がないが、気がめいってここにもいられない。

「知ってるわよ、あんたのことなら」彼女はたばこをシンクにおしつけて火を消し、冷蔵庫をあさってもう一本ビールをとりだした。「あたしが恋しくなるわよ」顔をゆがめて、泣きながらほほえむ。「あんたはここへ帰ってくる。帰ってこないなんてあたしがいったのは、ちょっとかっかしてたからよ。ぜったい帰ってくるわ」そういいながらビールの栓をぬいた。「あたしには帰ってくるとわかるの。どうしてだと思う?」しなをつくってマリーノを指さす。「トリクシー刑事がどこに目をつけたかわかるかね? あんたはクリスマスの飾りをおいていこうとしている。プラスチックのサンタにトナカイやスノーマン、唐辛子みたいな形の電飾。そのほか長年かけて集めたものが山ほどあるでしょう。それを地下室においたままいってしまうの? とんでもない。ありえないわ、ぜったいに」

トリクシーは自分が正しいと思いこもうとしている。愛するクリスマスの飾りをもたずに、マリーノがいってしまうはずがないと。

「ロッコが死んだんだ」

「それ、だれ？」トリクシーはぽかんとした顔をする。

「ほらな。いっただろう。おれのことを知らねえって。気にすんな。おまえが悪いんじゃねえ」

彼はドアをしめ、トリクシーとリッチモンドに別れをつげた。

87

行方不明の女性の名前はキャサリン・ブルースだ。

いまのところ彼女は誘拐されたとみなされている。例の連続誘拐殺人事件のいちばん最近の被害者で、おそらくもう殺害されているだろう。もと空軍のパイロットでコンチネンタル航空に勤務する彼女の夫は、事件当時バトンルージュをはなれていた。彼は二日にわたって妻と連絡がとれなかったので、心配になった。キャサリンの友人に様子を見にいってもらったところ、キャサリンは家におらず、車もなかった。その後、車はルイジアナ州立大学《LSU》のそばのウォルマートの駐車場で発見された。駐車場は二十四時間あいているので、その車を不審に思うものはいなかった。車のキーはさしこんだままで、ドアもロックしてなかった。ハンドバッグと札入れはなくなっていた。

夜はまだ明けきっていない。ゆっくりと朝の分子が集まって、夜明けの空になろうとしているかのようだ。澄んだ青い空になりそうだ。ニックは昨日の夕方六時のニュースで、はじめてその誘拐事件のことを知った。いまだに信じられない。報道によるとキャサリン・ブルースの友人は、昨日の朝バトンルージュ警察に電話している。その情報はただちに全国に流されるべきだった。まぬけなタスクフォースは、いったい何をしていたのだろう？　キャサリンが本当に行方不明かどうか確認するため、実名をふせたその友人をうそ発見機にでもかけていたというのか？　それとも、パイロットの夫が町をでる前に妻を殺害して遺体を埋めたのではないかと疑って、裏庭をほりかえしていたのだろうか？

犯人は八時間を余分に手にいれた。一般市民は八時間を失った。キャサリンも八時間を失った。もう死んでいるとしても、そのときはまだ生きていたかもしれない。だれかが彼女と犯人を目撃していたかもしれない。いろんな可能性があったのだ。ニックはウォルマートの駐車場をひたすら歩きまわり、何か語りかけてくるものがないかさがしていた。だが広大な犯行現場はおし黙っている。キャサリン・ブルースの車はとっくに運びさられている。どこかに保管されているのだろう。残っているのはごみくずとチューインガムと無数のたばこの吸い殻だけだ。

七時十六分になって、ようやくあるものを発見した。子供のときなら大喜びしただろう。二十五セント玉が二枚。どちらも表向きだ。裏返しよりは運がいいとされている。とにかくいまはつきがあると思っていたい。たとえ幻想にすぎなくても。昨夜ニュースをきいて、ニックはすぐここへかけつけた。その時点ですでに硬貨が落ちていたなら、懐中電灯の光がそれをとらえなかったことになる。今朝早くにもどってきたときも、まだ暗くて見えなかった。三五ミリとポラロイドのカメラでそれらを撮影し、硬貨の位置をおぼえ、メモをとった。法医学アカデミーでならったとおりのやりかただ。手術用手袋をはめ、硬貨を紙の証拠品袋にいれる。それから足早に店のなかへはいった。

「店長に会いたいんだけど」と、レジの店員にいった。店員はカートにいっぱいの子供服をせっせとレジに打ちこんでいる。くたびれた様子の若い女性——たぶん母親だろう——がマスターカードをとりだした。

ニックはバディのオーバーオールのことを思いだして、後ろめたい気分になった。

「あっちよ」店員は木製のスイングドアの奥にある事務室を指さした。

ありがたいことに店長はそこにいた。

ニックは彼にバッジを見せていった。「キャサリン・ブルースの車があった場所を正確に知りたいんだけど」

店長は若くて、愛想がよかった。一見して動揺しているのがわかる。

「案内しますよ。場所ははっきりわかります。警察がそこで何時間も調べて、車はレッカー車でもっていきました。ひどい事件ですよね」

「ほんとにひどいわね」ニックはあいづちをうち、いっしょに店をでた。太陽が東の空に顔をのぞかせている。

キャサリン・ブルースの一九九九年型の黒いマキシマがあったのは、二十五セント玉が落ちていた場所から六メートルほどのところだった。

「ここにとめてあったのはたしか？」

「ええ、まちがいありません。ここの五列目のところです。女性のお客さんは、夜は正面のドア近くにとめる人が多いんです」

彼女の場合はそれも役にたたなかったわけだ。だがすくなくとも、用心はしていたのだろう。いや、そうともいえない。おおかたの人は、店の入り口にできるだけ近いところに駐車しようとする。高級車にのっていて、ドアをへこまされたくない場合はべつだが。それを気にするのはたいてい男性だ。なぜ車やその手入れに関心がない女性が多いのか、ニックはかねがねふしぎに思っている。もし自分に娘がいたら、ぜったいその子にいろんな外車の名前をおぼえさせる。そして、いっしょうけんめい働けば、いつかランボルギーニにのれるかもしれないと教える。バディにもいつもそういっている。彼はスポーツカーの模型を数えきれないほどもっていて、それを壁にむかって走らせるのが大好きだ。

「彼女がここに車をのりいれた晩、何か変わったことに気づいた人は？　だれかキャサリン・ブルースを見かけなかった？　何か見たという人はいない？」ニックは店長にたずねた。ふたりは同じ場所に立ってあたりを見まわしている。

「いませんね。彼女は店へははいらなかったんだと思います」

88

ルーシーは、このベル四〇七型機ほど美しく塗装されたヘリコプターを見たことがない。当然だ。これは彼女のヘリコプターなのだ。工場から搬送されたときについていたもの以外、すべて自分でデザインした。四枚羽根でのり心地は快適、最高速度は百四十ノット（民間機としては上々だ）、燃料系はコンピューター制御されている。それに加えてシートは革張りで、まずおこりえないことだが、万一水面の上空でエンジンが停止した場合のポップアップ・フロート、低空飛行中に送電線をひっかけた場合（ルーシーのような慎重なパイロットには不要だが）に使用するワイヤー・ストライク、予備の燃料タンク、ストーム・スコープにトラフィック・スコープ、それにGPSをそなえている。いうまでもなく、こうした装備はすべて最高のものだ。

三四番ストリートにあるヘリポートはハドソン川に面している。自由の女神とイントレピッド博物館の中間だ。ルーシーは第二発着場で愛機のまわりをまわっている。これで四回目だ。エンジン・カバーとタンクのチェックはすでに終えている。オイルレベル、オイルのたれ、フィルターのポップアップ式ボタン、どす黒い血のしたたりを思わせる油圧系の油のもれ。すべてオーケーだ。ルーシーがウエイトトレーニングに熱心なのは、ひとつには飛行中に油圧系がきかなくなった場合、自分の力で器機を動かさなければならないからだ。腕力のない女性だと、たいへんな思いをすることになる。

テールにそっていとしげに手をすべらせ、またしゃがみこんでその裏側のアンテナを点検する。それから操縦席にのりこんだ。ルーディが早くくればいいのにと思った。その思いが通じたのか、飛行場《FBO》のオフィスのドアがあいてダッフルバッグを手にしたルーディが姿をあらわし、ヘリへ向かって急ぎ足でやってきた。左のシートがあいているのを見て、ちょっとがっかりした顔をする。また彼が副操縦士役なのだ。カーゴパンツとポロシャツ姿のルーディは、いかにもいい男だ。

「そういっちゃなんだけどね」彼は四点式ベルトを装着しながらルーシーにいった。「きみはとんでもないよくばりだよ。ヘリのことになると、ブタなみだな」ルーシーは飛行前点検中だ。ブレーカーや各種スイッチからはじめて計器類からスロットルまで、手早く入念にチェックする。

「だって、これはあたしのヘリですからね」ルーシーはバッテリーのスイッチをいれた。「二十六アンペア。バッテリーよし。おぼえといてね、あなたより飛行時間は多いのよ。飛行証明書もいっぱいあるし」

「うるさい」ルーディはほがらかにいった。ふたりで飛ぶときはいつもきげんがいい。「左方よし、だ」

「右方もよし」

89

ルーディがルーシーとともに陶酔を味わうことができるのは、飛んでいるときだけだ。ルーシーがセクシャルな意味で彼を誘うことはめったにないし、あったとしても途中でやめてしまう。シチェチンのラディソンホテルから車で逃げたときの一件についても、もしルーディがその意味を理解していなければ、利用されたように感じただろう。死にかけるといった衝撃的な体験をしたとき、ほとんどの人は単純な反応を示す。人の肌のぬくもりを求めるのだ。セックスすることで生きていることを実感できる。だから自分はいつもセックスのことを考えているのだろうか、とルーディは思う。

彼はルーシーに恋しているわけではない。そのような気持ちをもつことは自分にかたく禁じてきた。何年前だったか、はじめてルーシーを見たときには、彼女とかかわりをもつ気はさらさらなかった。ルーシーはヘリコプター操縦の実演をおえて、巨大なベル四一二型機からおりてくるところだった。重要な人物、とくに政治家がＦＢＩを視察にくると、必ずそれをやらされる。ルーシーは人質救出チーム《HRT》で唯一の女性隊員だった。だから若く美しい女性が操縦桿をにぎっているところをその司法長官かだれかに見せることで、ＦＢＩが女性差別をしていないことを印象づけようというのだろう、とルーディは思った。

彼はツイン・エンジンの堂々たるマシンを停止させておりてきたルーシーを見つめた。彼女はダークブルーの戦闘服に、くるぶしまでのやわらかな黒いブーツをはいていた。ルーディは燃えたつようなその美しさに目をみはった。胸をはって優雅に歩くその様子には、男っぽいところはまったくない。耳にしたうわさは、ひょっとするとまちがいではないかという気がしてきた。ルーディは彼女の体の動きに魅せられた。筋肉の波動が全身に伝わっていくかのようだ。まるでエキゾチックな動物、トラのようだ。その視察の日、司法長官かだれかのところへまっすぐ歩いていって、礼儀正しく握手するルーシーを見ながら、彼はそう思った。

ルーシーの体はよくきたえられているが、とても女性らしく、思わずふれたくなる。ルーディは彼女に深入りしないすべを身につけていた。ひきさがるタイミングもわかっている。数分のうちにヘリコプターの出力は最大にまで上昇した。航空電子機器をオンにして、ヘッドホンをつける。ふたりにとって、高速で回転するローターがたてる大きな音は、大好きなダンスミュージックのようなものだ。ヘリの出力があがるとともに、ルーシーの気分も高揚していくのがわかった。

「離陸準備完了」彼女はマイクに向かっていった。「ハドソン管制局どうぞ、こちらヘリコプター四〇七、タンゴのT、リマのL、パパのP。三四番ストリートから南へ向かいます」

ルーシーはホバリングするのが大好きだ。強い追い風のなかでも、ヘリを空中でぴたりと静止させることができる。彼女は機首を川のほうへ向け、出力を制御しながらヘリを離陸させた。

スカーペッタは朝いちばんの便でヒューストンのジョージ・ブッシュ空港へ向かった。時差は一時間で、午前十時十五分に到着した。

空港からほぼ真北にあるリヴィングストンまで、車で一時間四十分だ。スカーペッタはひどく緊張していた。自分でレンタカーを運転して刑務所までいく気はなく、ハイヤーにのった。それは賢明な選択だった。数えきれないほど右や左にまがったあげく、ハイウエーにでると国道五九号線がどこまでもつづく。彼女は指令どおりに動く新人のように、よけいなことは考えなかった。

スカーペッタは冷静そのものだ。法廷で証言するときと同じ。肉食動物のように、彼女が血を流すのをまちかまえている弁護士と相対するときも、このモードになる。おかげで傷つかずにすむ。すくなくとも深手を負うことはない。いまも、分析的に考えることに救いを見出しつつ、車が走るあいだずっとだまっていた。指示をだすとき以外は、運転手とも口をきかない。運転手は話し好きのようだったが、最初に黒のリンカーンにのりこんだとき、やることがあるので話はできないといっておいた。

「わかりました」帽子やネクタイまでそろいの、黒い制服姿の女性運転手は答えた。

スカーペッタは「よかったら帽子はとってちょうだい」と、すすめた。

「あら、ありがとうございます」運転手はほっとしたようにいって、すぐに帽子をぬいだ。「これかぶるのいやでたまらないんです。でもたいていのお客さんは、お抱え運転手らしいかっこうをさせたがるんですよね」

「わたしはそんなかっこうじゃないほうがいいわ」と、スカーペッタはいった。

前方に刑務所が見えてきた。コンクリートでできた巨大な貨物船のような、現代の砦《とりで》だ。平屋根のすぐしたに小窓がならんでいる。屋根のうえでは職人がふたり、さかんに身ぶりをまじえて話したり、あたりを見まわしたりしている。芝生の植わった広大な敷地のまわりには、有刺鉄線を太く巻いた蛇腹《じゃばら》形鉄条網がはりめぐらされている。それが日ざしをあびて、まるで純銀製のように輝いている。監視塔のうえでは、警備員が双眼鏡であたりに気をくばっている。

「ぶるぶる」運転手がつぶやいた。「ちょっと緊張しますね」

「大丈夫よ」スカーペッタは安心させるようにいった。「どこにとめればいいか教えてくれるから、車のなかで待っててちょうだい。あまり外をうろつかないほうがいいわね」

「トイレにいきたくなったらどうしましょう？」彼女は心配そうにいった。警備員のブースの手前で徐行する。ここから先が重警備の刑務所だ。そこでこれまでに経験したことのないおそろしい任務が、スカーペッタを待っている。

「そのときはだれかにきけばいいでしょう」彼女はうわのそらで答え、窓をあけて運転免許証と検屍官の資格証明書、それにぴかぴか光る真鍮のバッジと、黒い札入れにはいったＩＤカードを、制服姿の警備員にわたした。

リッチモンドの検屍局をやめたとき、彼女もマリーノと同じように、やってはいけないことをやった。バッジを返さなかったのだ。返却するよう求める人もいなかった。だれもそんなことをする勇気がなかったのかもしれない。正確にいえばスカーペッタはもはや局長ではない。だが前の晩にルーシーがいったことは正しい。局長という肩書があろうとなかろうと、いまだに情熱をかたむけている仕事にスカーペッタがすばらしい手腕を発揮することに変わりない。口にはださないが、スカーペッタ自身も自分の仕事ぶりには誇りをもっている。

「だれと面会する予定ですか？」警備員が免許証と証明書類を返しながらきいた。

「ジャン・バプティスト・シャンドンよ」やっとのことでその名前を口にする。

警備員は、その職場環境と責任のわりにはのんびりしていた。彼の態度と年齢からして、長年にわたって刑務所で働いていると思われる。もはや勤務につくときも、まわりの不穏な世界のことをあまり意識しないのだろう。彼はブースのなかにひっこんで、リストを調べた。

「おまたせしました」ブースからでてきた警備員はそういって、刑務所のガラス張りの正面玄関を指さした。「あそこまでいって、車をどこにとめればいいかきいてください。広報担当が迎えにでますから」

テキサスの州旗がスカーペッタを手招きしているようだ。空は青いガラスのように澄み、気温は秋を思わせる。邪悪なものなど知らぬげに、鳥はさえずり、自然はその営みをつづけている。

91

A棟での日々はあいかわらずだ。

死刑判決の確定した囚人がきては去り、以前収容されていたものの名前は口にされなくなる。死刑執行の日を待つために送られてきた囚人は、何日間か、または何週間かたつと——ジャン・バプティストは時間の感覚を失いがちだ——かつてその独房で刑の執行をまっていた囚人と同じ名前で呼ばれるようになる。つまり、囚人たちは独房の番号で呼ばれるのだ。たとえばA棟二十五房はケダモノのことだ。もっとも彼はあと数時間で特別房へ移されることになっている。ジャン・バプティストはA棟三十房だ。その右隣のA棟三十一房はモスだ。なぜモス《蛾》と呼ばれるかというと、消灯後もごそごそ動きまわるこの屍姦嗜好者の殺人犯が、いつも手をぶるぶるふるわせており、肌の色も灰色に近いからだ。彼は床のうえで寝るのが好きで、支給される囚人服もいつも灰色のほこりにまみれている。それが蛾《が》の羽の鱗粉《りんぷん》のように見える。

ジャン・バプティストは手の甲の毛をそっていた。長い毛がうずをまいてステンレスのシンクにまいおちる。

「ようし、毛玉」扉の小窓からだれかの目がのぞく。「もうすぐ十五分だぞ。あと二分でかみそりを返してもらうからな」

「セルダンマン《いいとも》」彼は安っぽいにおいのせっけんをもう一方の手にもぬり、関節を傷つけないよう注意しながらまたそりはじめた。耳のなかにはえている毛はそりにくいが、なんとかやってのける。

「時間だよ」

ジャン・バプティストはていねいにかみそりをゆすいだ。

「毛をそったんだな」モスが低い声で話しかけてくる。かすかな声なので、彼が何かいってもほかの囚人にはまずきこえない。

「ウイ《そうだよ》、モナミ《相棒》。なかなか男前だろう」

看守がかなてこ形のクランク・キーをドアのしたのスロットにさしこみ、引き出しを扉の内側にさしいれた。毛をそった青白い指が、青いプラスチックのかみそりをそのなかにいれる。看守はその指の届かないところまであとずさりした。

モスは床にすわってバスケットボールを壁にむかってころがしている。ボールがまっすぐもどってくるよう、正確にぶつける。

彼は役たたずの人間で体も弱く、死体と交わることだけが殺人をおかす目的だった。死体にエネルギーは残っておらず、その血はもはや磁気をおびていない。ジャン・バプティストは選ばれたものをエクスタシーへ導くとき、きわめて効率的な方法でそれをやってのけた。頭部に致命傷をおっても、人はしばらく生きている。彼にとっては十分な時間だ。そのあいだに彼は生きた人間の肉に歯をたて、血をすって磁気を補給する。

「いい天気じゃないか？」彼の独房にモスのかすかな声が届く。ジャン・バプティストの耳はどんな小さな声でもききとることができる。「いまは雲がないけど、しばらくすると上層雲が発生して、午後遅くには南へ移動するってよ」

モスはラジオをもっており、天気予報ばかりきいている。

「ミス・ギトルマンの車が新しくなったな。かわいらしいシルバーのＢＭＷロードスターだ」

死刑囚の独房からは、すきまほどの窓をとおして、裏の駐車場が見える。二階の独房に監禁されているとほかに見るものがないので、彼らは外をながめて一日の大半をすごす。ある意味で、これは威嚇《いかく》だ。モスがミス・ギトルマンのBMWのことを口にするのは、彼にできる精いっぱいのおどしなのだ。おそらく看守はそのことばをほかの看守に伝え、いずれそれが若くてきれいな広報担当補佐ミス・ギトルマンの耳にもはいるだろう。そして彼女は囚人たちが自分の新しい車に気をとめていることを知る。刑務所の職員は、死刑に値するような重罪をおかした囚人に、自分の私生活のことを知られるのを好まない。それがどんなささいなことであってもだ。

ジャン・バプティストは、窓と称されるすきまからめったに外を見ない唯一の囚人かもしれない。ならんでいる車の色やメーカー、型、それに何台かの車についてはナンバーやもちぬしの容貌まで記憶してしまうと、もはや晴れていようと荒れもようだろうと、窓から空をぼんやりながめる意味はなくなった。だがいまはモスのことばに興味をおぼえ、ズボンもあげずに便器から腰をあげ、高窓から外を見た。そのBMWを確認すると、また便器に腰をおろして思いをめぐらせた。

彼は美しいスカーペッタにだした手紙のことを考えた。あの手紙がすべてを変えたはずだ。スカーペッタはあれを読んで、彼の求めに応じるだろう。

今日、ケダモノは牧師や自分の家族と四時間面会することをゆるされている。それから車でハンツヴィルへ送られる。処刑室のあるところだ。午後六時には死ぬことになっている。

これによっても事態は変わる。

独房の扉の右すみから、折りたたんだ紙がそっとさしいれられた。ジャン・バプティストはトイレットペーパーをひきちぎり、今度もズボンをおろしたままその紙をひろいあげて、また便器にもどった。

ケダモノの房はここから左へ五つ目だ。房から房へまわされてメモがジャン・バプティストのところへ届くときは、それがケダモノからだとすぐわかる。折りたたまれた紙きれはまわってくるあいだにこすれ、うすよごれている。内側にはしみがつき、折りめがすれてよれよれになっている。途中の房でだれかが読むたびに、ひろげたりたたんだりするからだ。コメントを書き加えるものもいる。

ジャン・バプティストはステンレスの便器のうえで身をかがめている。背中の長い毛が汗でもつれているのが、ぬれた白いシャツをとおして透けて見える。磁気をおびるときはいつも暑くなる。彼は慢性的に磁気をおびた状態にある。電流が独房の金属部分をめぐり、彼の血液中の鉄分に到達すると、またあふれでてべつの回路を形成する。それがやむことなく、はてしなくつづく。

「きょう」スペルもろくにつづれないケダモノがえんぴつで書いている。「やつらがおれをつれてく。うれしいだろう。さびしいか？　そうでもないか」

今度ばかりはケダモノの意図は彼を侮辱することではない。ほかの囚人はあざけりのことばとるだろうが、そうではないことはたしかだ。

彼は返事を書いた。「さびしがることはないよ、モナミ《相棒》」

ケダモノにはこの返事にこめた意味がわかるだろう。といっても、死刑執行をひかえた自分を救うために、ジャン・バプティストが何をする気かはまるでわからないだろうが。金属の音をひびかせて看守がとおりかかった。ジャン・バプティストはケダモノのメモを細かくちぎって口のなかに押しこんだ。

彼女が車をとめると、キーをぬくひまもなく犯人が近づいてきたにちがいない。

ハンドバッグや札入れは駐車場にすてられていたかもしれない、とニックは思う。二日もたっていれば、だれかにひろわれているにきまっている。残念ながらその人物は、ひろったものは自分のもの、とみなしたのだろう。キャサリン・ブルースの誘拐についてこれだけ報道されていれば、ひろったのがだれにせよ、自分の見つけたものが証拠物件であることに気づくはずだ。けれどもご都合主義の倫理で生きているどこかの小心者が、いまさら警察に電話して、ハンドバッグか札入れ、またはその両方を「ネコババしようと思ったんですが、殺された女性のものだときいたので」などと認めるとは思えない。キャサリンがすでに殺されているとしての話だが。

まだ殺されていないとしても、時間の問題だわ。

そのときふと頭にうかんだことに、ニックはショックを受けた。ハンドバッグや札入れが警察に届けられているとしたら、それを所持していた人は、バトンルージュのすご腕のタスクフォースに電話したにちがいない。そしてタスクフォースのばかどもはくだらない理由をでっちあげて、その情報を報道関係者や他の警察のものに流さないようにしただろう。ニックはウォルマートでのことを考えずにはいられなかった。自分はまさに誘拐現場にいた。キャサリン・ブルースはおそらくその数時間前かあとに誘拐され、これまでの被害者と同じように、秘密の場所に車でつれ去られたのだろう。

あの日ニックはウォルマートの店内をぶらついていた。ノックスヴィルからもどって以来、ひまさえあればそうしている。ひょっとすると、自分が店内にいたときにキャサリン・ブルースもそこにいたかもしれない。その可能性は低いとはいえ、まったくないとはいえない。そのことがニックの頭をはなれない。

美しいブロンドの被害者の写真が、テレビのニュースでさかんに流されている。その写真はニックが見たどの新聞にものっている。だがウォルマートの店内で、できもしないニードルポイントの図案を選んだり、身につけるはずのないはでなランジェリーを見たりしているとき、被害者にわずかでも似た女性を見かけたおぼえはない。

ひざが悪くて駐車場でころんだ異様な女性のことが、なぜかときどき頭にうかぶ。どこか気になるところがあるのだ。

満潮時には、小型ボートを細い支流やバイユー《米国南部の沼》にのりいれることが可能だ。ふだんはとても無理だし、そもそもまともな人間ならあえてのりいれようとは思わないだろう。ダレン・シトロンは、思いたつとどんな水路にでも躊躇《ちゅうちょ》なくボートをのりいれることで知られている。古ぼけたベイ・ランナー号のエンジンをふかし、浅い水のうえをとぶようにすすみ、泥の州《す》をこえてはいっていく。いまの潮位はすこし低いが、ダレンは全速力でブラインド川へはいり、あやうく川底の泥につかまりそうになった。泥は場所によっては二メートル近くつもっている。そのうえにおりると、靴がぬけなくなることもある。いつもなんとかボートを押しだすことはできるが、ヌママムシがうようよいる川にはいるのはいい気分ではない。

ダレンは地元の少年で、十八歳になる。年中日に焼けていて、肌の色は焦げたピーナツのようだ。彼の生きがいは魚を釣ることと、ワニの獲れる場所を見つけることだ。ワニ狩りに熱中しているせいで、ダレンの評判はあまりよくない。皮や肉や頭部にいい値段のつく大物をねらうには、丈夫なロープと大きな鉄の鉤《かぎ》、それにもちろん餌《えさ》が必要だ。餌を水面上に高くぶらさげるほど、それにとびつくワニの体は大きくなる。いちばんいい餌になるのは犬だ。ダレンは地元のあちこちの収容所から犬を手にいれる。やさしそうな物腰にみなだまされる。彼はどうせ安楽死させられるのだから、と自分にいいわけしながら、やるべきことをやる。ワニ狩りをするときはワニのことしか頭にない。餌になる犬のことや、それをどうやって手にいれたかは考えない。ワニがかかるのは夜だ。ボートのなかでじっとして、犬がクンクン鳴く声をテープで流しておく。餌のことはうまく頭から消しさり、巨大なワニのことだけを考える。そいつは水中から姿をあらわし、ぱくりと餌にくらいつき、鉤にひっかかる。そうしたらすばやく近づいて、二二口径のライフルで頭を撃ちぬいて、楽にしてやる。

水路の両側にはスイレンの葉がうかび、丈の高い草がはえている。ダレンのボートはそのあいだをすすんでいった。ヌマスギが水面にまだらな影をおとしている。その枝からは、ロープのようにからまった樹上着生植物がたれさがっている。ワニは水からあがることも多い。とくに卵をうんだあとの雌はでたりはいったりする。長い尾をひきずったあとが残るので、それがたくさんある場所を目にすると、ダレンは頭のなかの地図にしるしておく。そして天候や潮のぐあいがよければ、暗くなってからそこへもどってくる。

水面はアオコでおおわれている。前方でアオサギが一羽まいあがった。モーターの音とともに人間が侵入してきたのが気にいらなかったようだ。ダレンはワニの残したあとをさがした。虹色のトンボがついてきている。ワニの目は二つならんだ小さなトンネルのようだ。ワニは水のうえに目だけだしていて、ダレンがふりむくと、姿を消す。水路が湾曲したところで、無数の尾のあとと、黄色いナイロンロープが木からぶらさがっているのが目にはいった。ロープの先の大きな鉄の鉤についている餌は、人間の腕だった。

95

今日、ベントンはフランク・ロード上院議員と話をした。最後に彼と話してから五年以上たっている。どちらも公衆電話を使っての会話だった。

いつも一分《いちぶ》のすきもない身なりをしている上院議員が、ノーザン・バージニアの自宅から国会議事堂へ向かう途中、ガソリンスタンドで車をとめて公衆電話を使っている。その光景はほとんどこっけいに思える。といっても、この会話の段取りをつけたのはベントンのほうだ。昨夜遅く、ロード上院議員から思いがけないメールが届いたからだ。

「トラブル発生。明朝七時十五分に連絡する。電話番号を知らせよ」と、書かれていた。

ベントンはこの公衆電話を昨夜のうちに選んで、返信メールでその番号を知らせた。どんな場合でも、もっとも単純でわかりやすい計画を採用するのがベストだ。彼がたてた綿密で複雑な計画は、あらゆる面でまずい方向へいきつつあるようだった。

ベントンは壁にもたれてくたびれたキャデラックに目をやり、車に近づいたりこちらに注意をむけたりするものがいないことを確認しながら電話している。頭のなかでは警報が鳴りつづけていた。ロードはシャンドンからスカーペッタに届いた手紙のことを話している。筆記体で書かれたほうの手紙だ。

「どうやってそのことを知ったんですか?」ベントンはたずねた。

「ゆうベジェイミー・バーガーから電話があった。自宅に。シャンドンのしかけたわなにスカーペッタがはまろうとしていると心配していた。それでわたしになんとかしてほしいというんだ。何らかの形で介入してほしいと。だがわたしにもできることとできないことがある。みんなそれを忘れている。敵にまわる連中だけはしっかりおぼえているけどね」

ロードはバトンルージュに連邦捜査官を投入したいと思っているが、彼も法をまげることはできない。バトンルージュのタスクフォースのほうがFBIの協力を要請し、捜査を肩代わりしてくれるようたのむ必要がある。管轄権をめぐる問題から、この連続誘拐事件——実態は連続殺人事件——にFBIがかかわるのはむずかしい。この事件では連邦法はおかされていないからだ。

「まったく無能な連中だ。現地にいるのは何も知らないばかなやつばかりだ」と、ロードがいう。

「そろそろだな」と、ベントンは答えた。「その手紙は、ことがそろそろ終わりに近づいていることを意味している。わたしが望んだのとはちがう方向で。まずいな。非常にまずい。もう自分のことを心配している場合ではない」

「なんとかできるかね?」

「どうすればいいかわかるのは、わたしだけでしょう。ただし、人前に姿をさらすことになる」

長い沈黙ののち、ロード上院議員も同意せざるをえなかった。「わかった。そうだろうな。だが、はじめたらもうあともどりはできない。やり直しはきかないんだ。それでもきみは……？」

「やらざるをえません。その手紙が事態をすっかり変えてしまった。彼女がどんな人間かごぞんじでしょう。やつは彼女をおびきよせようとしている」

「彼女はもう現地にいる」

「バトンルージュにですか？」ベントンはぎょっとした。

「いや、テキサスだ。テキサスにいるんだ」

「やれやれ。どっちにしてもよくない。まずい。まずいな。その手紙。それは本物だ。テキサスももう彼女にとって安全ではない」

ベントンはスカーペッタがシャンドンに会いにいくことについて考えた。当初は、個人的にも戦術的にも、彼女がそうすることを望む理由があった。だが本心では、そんなことになるはずがないと思っていた。いろいろ策をめぐらしはしたが、スカーペッタが実際にそうするとは思っていなかった。いまは状況が変わっている。彼女はいくべきではない。それなのに、なんということだ。

「いま彼女は向こうにいるはずだ」ロードは指摘した。

「フランク、やつは脱走する気だ」

「そんなことができるとは思えんが。あそこから脱走するなんて。やつがどんなに頭がきれるとしても。でも念のため、すぐに厳戒態勢をとらせよう」

「シャンドンは頭がきれるどころじゃない。やつが彼女をバトンルージュへおびきよせているとしたら、自分もそこへいくつもりにちがいない。それが重要な点だ。やつのことはわかっている。彼女のこともわかっている。彼女はテキサスをでたらその足でバトンルージュへ向かうだろう。その前に、テキサスでシャンドンにつかまらないかぎり。やつがそんなに早く動けるかどうか。そうでないといいが。でも、いずれにしても彼女はたいへんな危険にさらされている。シャンドンだけじゃない。やつの仲間もいる。彼らはバトンルージュにいるにちがいない。やつの弟もきっといる。そう考えると、あそこでおこっている連続殺人がどういうものかわかってくる。やつの弟のしわざだ。たぶんあの女も手を貸している。まだつかまっていないから。おそらく彼女とベヴ・キフィンはいっしょにいて、どこかに身を隠しているのだろう」

「彼らのように世間に知られた逃走犯にとって、女性を誘拐するのはたいへんなリスクじゃないかね？」

「彼は退屈してるんです」ベントンはあっさりいった。

96

　ポランスキー刑務所の看守は、グレーの制服に黒の野球帽をかぶっている。ジャン・バプティストにつきそって歩くふたりの看守のベルトからは、手錠がぶらさがっていた。つぎつぎととおりぬけるぶあつい扉が、うしろで大きな音をたててしまる。鉄の部屋のなかで大口径のピストルを発射したような音だ。鋭い音がひびきわたるたびに、ジャン・バプティストのエネルギーは高まる。手首を拘束されているだけなので、歩くのに不自由はない。まわりにある何トンもの鉄の作用でジャン・バプティストは磁気をおび、すさまじい力が体に満ちあふれてくる。その力は一歩すすむごとに大きくなる。

「おまえをたずねてくるやつがいるなんて、信じられねえよ」と、看守のひとりがいった。「はじめてだろう?」

　看守の名前はフィリップ・ウィルソン。彼の車はＫＥＹＰＲという飾りナンバープレートをつけた赤のムスタングだ。

ＫＥＥＰＥＲ《番人》のつもりだろう。ここへ移された最初の日に、ジャン・バプティストはそう見当をつけた。

　看守たちとは口をきかず、押しよせる熱気のなか、もうひとつ扉をとおりぬけた。

「これまでひとりもたずねてこなかったって?」もうひとりの看守、ロン・エイブラムズが応じた。茶色の髪がうすくなりかけた、やせた白人だ。「あわれなもんだな、ムッシュ・シャンドン」あざけるような調子でいう。

看守の離職率はきわめて高い。エイブラムズは新入りだ。悪名高い狼男を面会室までつれていけることを喜んでいるようだ。新入りの看守はみなジャン・バプティストに好奇心をいだく。だがいったんなれてしまうと、今度は彼を忌《い》みきらう。エイブラムズの車はトヨタの黒いSUV車だとモスはいっていた。彼は最新の天気予報をつねに把握しているだけでなく、駐車場にとめてある車もすべて知っている。

小さな面会ブースの裏側には、白くぬられた太い金網がはられている。看守のウィルソンはブースの鍵をあけ、ジャン・バプティストの手錠をはずして彼をなかにいれた。ブースのなかには椅子とたなと、ケーブルに接続した黒い電話がある。

「ペプシとチョコレートカップケーキをもらえないかな」ジャン・バプティストは金網ごしにいった。

「金はあるのか?」

「金はない」と、小声で答える。

「よし。じゃ今回だけはおごってやろう。いままでだれもたずねてこなかったというんだから。面会にくるご婦人がおまえに何か買ってやるはずもないしな。このろくでなし」エイブラムズがずけずけという。

ジャン・バプティストはガラスの向こうの、まぶしいほど清潔で広々した部屋をながめた。自動販売機とその中身、ほかの三人の死刑囚と話している三人の面会者を見るのに、目はいらない。

彼女はきていない。

ジャン・バプティストの体内を流れる電流のパルスが怒りで大きく振れた。

97

緊急事態のときに、つまらないことが障害となって必死の努力が実をむすばないのはよくあることだ。

ロード上院議員は自分で電話するのをためらうような人間ではない。自信がないくせにプライドだけ高いというタイプではないので、だれかに説明してやってもらうより、自分で対処するほうが早いと思う。彼は電話をきるとすぐ車にもどり、北へ向かいながらハンドフリーの電話で主任顧問に指示をだした。

「ジェフ、ポランスキー刑務所の所長の電話番号が知りたいんだ。いますぐ」

ラッシュアワー時にインターステート九五号線を走りながらメモをとるのは、何年も前に身につけざるをえなかった特技だ。

車が電話の通じにくいエリアにはいり、主任顧問の声がきこえなくなった。

何度もかけなおしたがつながらない。やっと通じたと思うと、ボイスメールの応答だった。ジェフもかけなおそうとしているのだ。

「電話を切れ！」ロードは宙にむかって叫んだ。

二十分後、刑務所の秘書はまだ所長をさがしていた。

秘書は電話の相手が本当にアメリカでもっとも知名度の高い有力な政治家、フランク・ロードなのだろうかと、疑っているようだ。以前にもあったことなので、ロードにはそれがわかる。大物はアポイントメントの調整や電話連絡は、秘書かだれかにやらせるのがふつうだからだ。

ロードはのろのろすすむ車の流れやいらだつドライバーに注意をはらいながら、もう何分も辛抱強く待っている。多少とも知性があれば、というより、自分が話している相手についての確信があれば、ロード上院議員を電話口で待たせるようなまねはぜったいにしないはずだ。ロードが謙虚で、身のまわりのことを自分でさっさとやるために、かえってこんなことになる。彼はクリーニング屋にだした洗濯物も自分でとってくるし、食料品店で買い物もする。レストランの予約も自分でするが、そのおかげでトラブルが生じたことは何度もある。ただのいたずらか、だれかが上院議員の名前をかたっていちばんよい席をとろうとしているのだと思いこんで、支配人が予約台帳に記入しないのだ。

「申しわけありませんが」やっと秘書が電話口にもどってきた。「ちょっと居所がわかりかねます。今朝は多忙なようです。今夜処刑があるので。メッセージをお預かりできますか？」

「きみの名前は？」

「ジョディです」

「だめだ、ジョディ。メッセージなんていっている場合ではない。緊急事態なんだ」

「でも」ためらったすえに彼女はいった。「ナンバーディスプレイの表示では、ワシントンからかけていらっしゃらないようですし。重要な会議か何かから所長をひっぱりだしたら、実は議員ご本人ではなかったなんてことになると困るんです」

「こんなことをやってるひまはない。所長を見つけてくれ。まったくもう。所長補佐のような人間はいないのか？」

　また電話の通じにくいエリアにはいり、つぎにつながるまで十五分かかった。秘書は席をはずしていた。べつの若い女性がでたが、その電話も途中で切れてしまった。

98

「もううんざりよ」ニックは父親にいった。

バトンルージュ警察のれんが造りの古びた建物までいったが、一階のロビーよりうえには通してもらえなかった。事件の証拠品かもしれないものを見つけたというと、ようやく私服の刑事があらわれ、封筒のなかの二十五セント玉を見つめた。そして何度も腕時計に目をやりながら、ウォルマートの駐車場に落ちているそれらの硬貨のポラロイド写真を見て、ニックの説明と仮説を関心なさそうにきいた。刑事に硬貨をわたしたが、彼が「作戦司令室」へもどったら自分を物笑いのたねにすることはわかっていた。

「みんな同じ事件にかかわっているのに、あのくそったれどもは何も教えてくれない。あっ、ごめんなさい」父は汚いことばが大きらいなのに、ときどきそれを忘れてしまう。「ザカリーの事件の捜査に役だつ情報だって、何かつかんでいるかもしれない。でもだめなのよ。そっちが知っていることはなんでもきこう、でもこっちは知らせないよって感じ」

「だいぶ疲れているようだな、ニック」ふたりはチーズいりスクランブルエッグとスパイシー・ソーセージを食べている。

バディはおもちゃやテレビといっしょに、空想の世界に遊んでいる。

「グリッツをもうすこしどうだ？」

「もうたくさん。でもパパのつくるグリッツは絶品だわ」

「おまえはいつもそういうな」

「いつもそうだからよ」

「気をつけたほうがいいぞ。バトンルージュの連中は、おまえのようなやつをきらうからな。とくにおまえのような女を」

「わたしのことを知りもしないのに」

「知らなくても、おまえを憎むだろうよ。やつらは手柄《クレジット》をものにしたいんだ。わたしの時代には、クレジットといえば、近所の雑貨屋で食料品を買って、あとで金のあるときにはらえばいいという了解のことだった。おかげでひもじい思いをするものはいなかった。近ごろじゃ、クレジットとは自分のことしか考えないという意味になったようだな。バトンルージュの連中は、なんでも自分の手柄にしたいんだ」

「そうなのかしら」ニックはまた丸パンにバターをつけた。「パパがつくってくれると、いつも食べすぎちゃうわ」

「手柄をほしがるやつらはうそをつくし、人をだます。盗みだって平気だ」

「女性がつぎつぎに死んでるっていうのにね」ニックは食欲をなくし、パンを皿にもどした。「殺しをやっているやつはもちろんだけど、手柄ばかりほしがって、被害者のことなんか気にもしない連中もひどいわね」

「みんながやっていても、いけないことはいけないことだよ、ニック。おまえがあそこで働いていなくてよかった。おまえの無事をいまよりずっと心配しなきゃならないところだった。それもその野放しのあぶないやろうのせいじゃなくて、おまえの同僚がそういうやつらだということで」

ニックは子供のころと変わらない簡素なキッチンを見まわした。母が死んで以来、何かを買いかえたり改造したりはいっさいしていない。レンジは電熱で、色は白。バーナーが四ついている。冷蔵庫も調理台も白だ。母はフランスの田舎風のキッチンにあこがれていた。いずれ古い家具や白と青のカーテン、壁にはる趣《おもむき》のあるタイルなどを手にいれるつもりだったらしい。だがその夢はかなわずに終わった。そしてキッチンはいまだに白いまま。白一色だ。もし調理器具がどれかこわれたとしても、父はきっと捨てようとしないだろう。そのせいで毎晩テイクアウトの食事をとることになったとしても。父が過去と決別できずにいるのを見るのはつらい。彼はひそやかな悲しみと怒りに、いまだにとらわれている。

ニックは椅子から立ちあがった。父の頭のてっぺんにキスすると、目に涙があふれた。

「大好きよ、パパ。バディをよろしくね。いつか必ずいい母親になりますから」

「いまでもいい母親だよ」彼は所在なげにスクランブルエッグをつつきながら、すわったままニックを見た。「問題は時間の長さじゃなくて、その中身なんだから」

ニックは母のことを思った。いっしょにいる時間は短かったが、その一瞬一瞬が楽しかった。いまはそのように思える。

「なんだ、泣いてるのか。話してごらん。いったいどうしたんだ、ニック？」

「わかんない。よくわかんないの。何かしてると、急に涙がでてきちゃう。ママのことと関係があると思う。こないだ話したけど。最近の事件で思いだしてしまった。というか、心のなかの扉がひらいてしまったようなの。そんなものがあることも知らなかったんだけど。その扉の向こうはまっ暗なおそろしい場所で、こわくてたまらないの。パパ、灯りをつけてちょうだい。おねがいよ」

父親はゆっくりテーブルから立ちあがった。ニックのいう意味はわかっている。ためいきが口をついた。

「やめたほうがいい、ニック」彼はきびしい表情でいった。「そのせいで自分がどうなったかはわかっている。生きるのをやめてしまった。それはおまえも知っているだろう。あの日の夕方、家に帰ってあれを見たとき……」せきばらいして涙をこらえる。「胸のなかで何かがはずれたような気がした。まるで心臓が肉ばなれをおこしたみたいに。なぜそんな光景を見たいんだ？」

「それが事実だからよ。わたしが想像している光景は、本物を見ることができないから、よけいおそろしいものになっているのかもしれない」

彼はうなずき、もう一度ためいきをついた。「屋根裏へいってごらん。すみに積んである敷物のしたに、青いスーツケースがある。母さんのものだ。グリーンスタンプを集めて手にいれたんだ」

「おぼえてるわ」ニックはささやくようにいった。その青いスーツケースをもって玄関をでていく母の姿が目にうかんだ。目の手術を受けたおばを見舞いに、母がナッシュヴィルへいったときだ。

「鍵の暗証番号はセットしていない。おぼえられない、と母さんがいってな。ゼロ、ゼロ、ゼロで新品のときのままだ」またせきばらいして、遠くを見つめた。「おまえがほしがっているものがそのなかにある。わたしがもっているべきでないものも。でもおまえと同じでね。どうしても知りたかった。教え子に警察署長の娘がいたから、便宜をはかってもらえた。恥ずかしいことだがね。署長の娘に実際よりいい成績をつけて、大学への推薦状もほめて書いてやると約束した。その報いは、たのんだものが手にはいったことだな。とにかくあれをここへもっておりないでくれ。二度と見たくないんだ」

99

広報担当補佐のジェーン・ギトルマンは、お待たせして申しわけありませんでした、とスカーペッタにしきりにあやまった。

スカーペッタは正面玄関前の、アラン・B・ポランスキー刑務所という表示の下で、十五分も立っていたのだ。まぶしいほどの太陽をあびて、汗ばんでいた。長旅のせいでうす汚れ、髪も服もだらしなくなっているのではないかと気になった。感情をおさえようと決意していたが、忍耐力は限界に近づいていた。いまは何よりも、早くこれをやってしまいたい。

「今夜、刑の執行があるので、メディアからの電話が鳴りっぱなしなんです」ミス・ギトルマンがいいわけする。

彼女にわたされた面会者用のバッジを、スーツのえりにつけた。その黒いパンツスーツは、フロリダをでてから何度ものりついだ飛行機のなかで、ずっと着ている。昨夜姪《めい》と別れてから、ニューヨークのメルローズホテルの部屋でアイロンだけはかけた。ルーシーはいまスカーペッタがどこにいるか知らない。もし話していたら、いかせまいとするか、ついてこようとしただろう。スカーペッタは運を天にまかせて面会の予約をとりつけずに西へ向かい、ヒューストンへついてからポランスキー刑務所に電話した。シャンドンが自分に会うことは確信していたが、彼の面会予定者リストに自分の名前があることを知って、さらに不快な思いをしなければならなかった。だがすくなくとも彼のその悪趣味なジョークは、役に立ったわけだ。自分はいまここにいる。面会の前に、シャンドンに考える時間をなるべく与えないほうがいいだろう。

ＩＤのチェックがすむと、ミス・ギトルマンにつれられて、大きな音をたてる鋼鉄製のドアをつぎつぎにとおりぬけた。その後、パラソルのたったピクニックテーブルがいくつかおかれた庭をとおった。職員のための庭らしい。それから電子ロックのついたドアを五つ通過したが、スカーペッタにとっては短すぎる道のりだった。歩いているうちに、やはりくるべきではなかったという、気の滅入るような結論に達していたのだ。シャンドンは自分をあやつっている。面会にきたことをあとで悔やむだろうという気がした。面会によって彼はほしいものを手にいれ、自分はばかを見るのだから。

面会者用のロビーにはいると、靴の音がやけに大きくひびいた。磨かれたタイルの床を歩きながら、いまの自分がどう見えるかを痛切に意識した。服装や態度が人間の心理に大きく影響することを知っている。いまのいでたちは自分らしくなく、恥ずかしい。ピンストライプのパワースーツにカフスのついた白いシャツといった、一分のすきもない身なりをしていたいところだ。もっともそんなパワーファッションを身につけることは、自分を殺そうとしたあのろくでなしにかえってよくないメッセージを送ることになる。だがすくなくとも自分は多少強気でいられる。

二番ブースにすわっているジャン・バプティスト・シャンドンの姿が目にはいり、ひざの力がぬけそうになった。彼は顔や手の毛をきれいにそり、ガラスの向こうでくつろいだ様子でペプシをのみ、チョコレートカップケーキを食べながら、こちらには気づかないふりをしている。

スカーペッタは正面から彼を見すえた。向こうはすでにゲームをはじめているようだが、それにつきあうつもりはない。彼が毛をそって白いシャツを着ているのを見て驚いた。醜いにはちがいないが、うずを巻く細くて長い毛がないと、ほとんどふつうの人間のように見える。最後にその姿を見たときは、毛が汚らしい長いふさになって、体中からたれさがっていた。シャンドンはペプシをすすり、指をなめている。スカーペッタはその向かいに腰をおろして、黒い電話をとりあげた。

左右非対称の目がゆっくり動き、彼はとがった歯を見せてにやりとした。肌は青白く、くすんでいる。たくましい腕の筋肉がもりあがっているのが見える。白いシャツのそでをひきちぎっているのだ。あのおぞましい長い毛が目にはいった。そでぐりとえりもとからのぞいている。どうやらむきだしになる部分だけそったようだ。

「どうもありがとう」スカーペッタは電話に向かって冷たくいった。「わたしのためにおめかししてくれたのね」

「もちろん。きてくれてうれしいよ。わかってはいたけど」薄もやがかかったような目をちらっとこちらに向けたが、焦点があわないようだ。

「毛をそったのね」

「そう。今日ね。あなたのために」

「目が見えないのによくできたわね」しっかりした落ち着いた声でいう。

「目がなくても見えるんだ」シャンドンは舌先で小さなとがった歯にふれ、ペプシに手をのばした。「ぼくの手紙、どう思った?」

「どう思ってほしかったの?」

「もちろん、ぼくに芸術的センスがあると」

「筆記体の書法はこの刑務所でならったの?」

「きれいな字は昔から書けるんだ。無邪気な少年《プティ・ボーイ》のころ、両親に地下室にとじこめられていたから、いろんな才能をのばす時間はたっぷりあった」

「あの手紙はだれにだしてもらったの?」質問を重ねて主導権をはなすまいとする。

「いまは亡き親愛なる弁護士だよ」そういって舌打ちした。「なぜ自殺したのかまったくわからない。でもそれでよかったのかもしれない。つまらないやつだったからね。血は争えないってことだね」

スカーペッタは身をかがめて、ハンドバッグからメモ帳とペンをとりだした。「情報を提供してくれるということだったわね。それできたのよ。おしゃべりしたいだけなら、もう帰るわ。あなたと面会することには興味がないから」

「取引のもうひとつの条件のことだけどね、マダム・スカーペッタ」ゆがんだ目を宙に泳がせながらいう。「ぼくの死刑執行の件。やってくれるかい?」

「その件については問題ないわ」

シャンドンは笑みをうかべた。喜んでいるようだ。

「教えてほしい」片手で頬づえをついていう。「どんな感じなのかな?」

「苦しくはないわ。静脈注射の溶液の成分は鎮静剤のチオペンタール・ナトリウム。それに筋肉弛緩剤の臭化パンクロニウム。塩化カリウムが心臓を停止させる」冷静に説明するのを、彼はうっとりときいっている。「どれもたいして高価な薬ではないわ。その目的を考えると、皮肉でもあるし、当然ともいえるかも。数分のうちには死ねるわ」

「あなたがそれをしてくれるとき、ぼくは苦しまずにすむんだな」

「あなたがほかの人に与えたような苦痛は感じない。すぐ楽になれるわ」

「じゃ最後にぼくの主治医になることを約束してくれるね?」彼はペプシの缶を指でなではじめた。右手の親指のぞっとするような長い爪に、チョコレートのようなものがこびりついている。カップケーキのがついたのだろう。

「警察に協力するなら望みどおりにしてあげるわ。それはどんな情報?」

シャンドンは人の名前や場所をあげたが、スカーペッタには意味のないことばかりだ。メモ帳の二十ページ分がうまるころには、もてあそばれているのではないかという思いが強くなっていた。何の役にも立たない情報だ。たぶん。

彼がことばを切り、カップケーキを食べはじめたときにたずねた。「あなたの弟とベヴ・キフィンはどこ？」

彼は手と口をシャツでふいた。動くたびにたくましい筋肉がもりあがる。シャンドンは強靭《きょうじん》で、おそろしくすばやい。過去の光景がよみがえるのをおさえるのが、しだいにむずかしくなってきた。あの晩、自宅でおきたことの記憶を頭からふりはらおうとする。だがあのとき自分をなぐり殺そうとした男が、ガラス一枚へだてたところにいるのだ。やがてジェイ・タリーの顔もうかんできた。彼女をあざむき、その後やはり殺そうと追ってきた。この二卵性双生児の兄弟が、なぜ自分を殺害することにかくも執着するのか理解できないし、そのことが信じられない。だがこうしてジャン・バプティスト・シャンドンを見つめていると、自分でも意外なことに、胸にうかぶのは過去のおそろしい体験を忘れようという思いだけだ。ここにいるかぎり彼は無力だ。そして数日後には死んでしまうのだ。

処刑の日に薬物注射をしにくるつもりはない。うそをつくことに何のうしろめたさもなかった。

彼はジェイ・タリーとベヴ・キフィンについては何もいわない。

そのかわりにこういった。「ロッコはバトンルージュに小さな別荘《シャトー》をもっている。なかなか趣のあるやしきでね。復元された街の一角にある。ホモがたくさん住んでいるところだ。ダウンタウンにも近い。ぼくも何度もとまったことがある」

「バトンルージュに住んでいたシャーロット・ダードという女性についてきいたことがある？」

「もちろんさ。弟の気にいるほど美人ではなかったね」

「ロッコ・カジアーノが彼女を殺したの？」

「いや」シャンドンは飽きてきたかのようにためいきをついた。「いまいっただろう。もっとちゃんときいてほしいな。その女は弟が気にいるほど美人じゃなかったんだ。赤い棒《バトンルージュ》の女にすぎない」彼はおそろしげな口をあけてにやりと笑った。あいかわらず目は宙をさまよっている。「手を見ればあなたのすべてがわかる。知ってたかい？」

スカーペッタはひざにおいた手にメモ帳とペンをもっている。シャンドンはまるで目が見えているかのように彼女の手のことを話す。だがやはり視線はさだまらない。

見えないふりをしているのかしら。

「人間の手に神はしるしをつける。自分のしたことが各自にわかるように。あらゆる精神の営みはそのあとを手に残し、手を形作る。手は知性と創造性の尺度なんだ」

スカーペッタは彼の話に耳をかたむけた。何か重要なことをいおうとしているのだろうか？

「フランス人はたいてい芸術家のような手をしている。ぼくみたいに」毛をそった手をあげて、先細の長い指をひろげて見せる。「そして、あなたみたいにね、マダム・スカーペッタ。あなたの手は芸術家のように優美だ。なぜぼくが手にはふれずにおくか、これでわかっただろう。ムッシュ・リチャード・ビーミッシュによる『手の心理法則』、あるいは『手――知的発達の指標』という本がある。とてもいい本でね。実際の手をなぞった図がたくさんのっている。入手できれば見てみるといい。でも一八六五年に書かれた本だから、そのへんの図書館にはないだろうな。そのなかにふたつ、あなたの手にそっくりなのがある。ひとつは角ばっているけどエレガントで力強い。もうひとつはまさに芸術家の手だ。しなやかで、やはりエレガント。でももちぬしの衝動的な性格もそこにあらわれている」

彼女は何もコメントしない。

「衝動的だ。連絡なしにきただろう。いきなり。かなり神経質なタイプだな。多血質《サングイン》でもある」

彼はサングインということばのひびきを味わっている。中世の医学では、多血質の人間は体液のなかで血液の割合がもっとも多く、楽天的でほがらかだと考えられていた。いまの彼女はそのどちらでもない。

「手にはふれないといったわね。惨殺した女性たちの手を噛まなかったのは、そのためなのね」スカーペッタは冷静にいった。

「手は精神であり、魂でもある。ぼくはそれを解放してやるんだ。選ばれた女たちのために。その具体的なあらわれである手を傷つけたりはしない。なめるだけだ」

シャンドンはそろそろ彼女をいやがらせ、おとしめようとしはじめた。だがスカーペッタは質問の矛先をゆるめない。

「足の裏も嚙まなかったじゃない」

彼は肩をすくめ、ペプシの缶をいじった。さっきおいたとき、もう空になっていたようだ。「足には興味がない」

「ジェイ・タリーとベヴ・キフィンはどこにいるの？」もう一度たずねた。

「すこし疲れてきたな」

「ずっとひどい扱いを受けてきたのに、どうして弟をかばおうとするの？」

「ぼくは弟でもある」彼はわけのわからないことをいった。「だからぼくを見つけたら、もう弟をさがす必要はないんだ。ああ、疲れた」

ジャン・バプティスト・シャンドンは腹をさすりだした。視線を宙にさまよわせながら顔をしかめている。「気分が悪くなってきた」

「もう話すことはないのね？　それなら帰るわ」

「ぼくは目が見えない」

「見えないふりをしているだけでしょ」

「あなたはぼくの視力をうばったけど、その前にあなたを見た」シャンドンはとがった歯に舌をあてた。「あなたのすてきな家は、ガレージにシャワーがあったね。リッチモンド港の現場から帰ってきたとき、あなたは着替えと消毒のためにあのガレージへはいった。そしてシャワーをあびた」

スカーペッタは怒りと屈辱に体がこわばるのを感じた。彼がいっているのは、コンテナのなかの異臭をはなつ腐乱死体を調べたときのことだろう。いつもするように防護用のオーバーオールとブーツをぬぎ、ぶあついビニール袋にいれて口をしばり、車のトランクにいれて現場をあとにした。家へつくと、ガレージにはいった。そこはたしかにふつうのガレージではない。まず現場で着ていた衣類を業務用のステンレスのシンクに投げいれた。そして服をぬいで、シャワーをあびた。家のなかに死のにおいをもちこみたくなかったからだ。

「ガレージの戸の小さな窓。ぼくの独房の小窓によく似ている。そこからあなたを見ていたんだ」

あいかわらず焦点の定まらない目で、また魚のように冷たい笑みをうかべる。

舌から血がにじみでている。

スカーペッタの手は冷たくなり、足は感覚がなくなった。腕や首すじには鳥肌がたっている。

「はだか」シャンドンはそのことばを楽しみながら、舌をしゃぶった。「服をぬぐのを見た。あなたのはだかの姿が見えた。すばらしかったよ。極上のワインのように。あのときのあなたはバーガンディだった。まろやかでしっかりしていて、味わい深い。ちびちびやるのではなく、ぐっとのむべき品だ。いまのあなたはボルドーだな。話しているときは、ちょっと重めだから。肉体はそうではないと思うけど。それを判断するには、もう一度はだかのあなたを見てみないとね」彼は片手をガラスにおしつけた。顔かたちがわからなくなるほど人間をたたきのめした手だ。「もちろん、赤ワインだ。あなたはいつだって……」

「もうたくさんよ！」おさえていた怒りがついに爆発した。「黙んなさい。あなたは虫けら同然だわ」ガラスのほうへ身をのりだす。「勝手にしゃべって悦にいってなさい。わたしは平気よ。はだかを見られたからどうだというの？　自分ののぞき趣味のことやわたしの体のことをべらべらしゃべるのをきいて、わたしがおびえると思ってるの？　ハンマーでおそわれたとき、あなたの目をつぶしたことをわたしが気にしているとでも？　いちばん愉快なことは何だと思う、ジャン・バプティスト・シャンドン？　それはね、あなたはわたしのおかげでここにいるってこと。どっちが勝ったかわかるわね？　それから、あなたを処刑するためにまたここへくるつもりはありませんからね。だれか知らない人がやってくれるでしょう。あなたの被害者も自分を殺したのがだれか知らなかった。それと同じよ」

ジャン・バプティストは急にうしろの金網のほうをふりむいた。

「だれだ?」と小声でたずねる。

スカーペッタは黒い電話の受話器をおいた。そしてそこから立ち去った。

「だれだ!」彼は大声をあげた。

100

ジャン・バプティストは手錠が好きだ。

手首にはまった太い鋼鉄の輪からは、強力な磁気がえられる。エネルギーが体にしみわたる。彼はもう落ち着きをとりもどし、うちとけた様子さえ見せている。つきそいのエイブラムズとウィルソンは彼をつれて廊下を歩き、鋼鉄のドアの前で立ちどまってはＩＤつきの名札をかかげ、ガラス窓から顔を見せる。ドアの向こうの看守が電子ロックを解除すると、一行はまた歩きはじめる。

「彼女にはほんとに頭にきたよ」彼はやわらかな声でいった。「こっちがかっとなったのもまずかったけど。でも、ぼくの目をつぶしておいて、あやまろうとしないんだ」

「よくわかんないな、なんであの人がおまえみたいな人間のくずに会いにきたのか」と、エイブラムズはいう。「頭にきてるのは彼女のほうだろう。あんなことされて。いろいろ読んで全部知ってるぜ。おまえのろくでもない一生についてもな」

エイブラムズは自分の感情におぼれるというまちがいをおかしている。ジャン・バプティストが憎くてならず、彼を傷つけたいと思っている。

「もう気持ちは落ち着いたよ」ジャン・バプティストはおとなしくいった。「でもなんだか気分が悪いんだ」

またべつのドアの前にきた。エイブラムズがガラス窓ごしにIDを見せる。一行はそこもとおりぬけ、さらに刑務所の奥へ向かった。ドアごとに看守がいて、三人をとおす。ジャン・バプティストは顔をそむけ、床に視線をおとして彼らと目をあわせない。

「ぼくは紙を食べるんだ」ジャン・バプティストが打ちあけた。「緊張するとね。今日もいっぱい食べた」

「てめえあてに手紙でも書いてんのか?」エイブラムズが皮肉っぽくいう。「それでいつもトイレにすわりっぱなしなんだな」

「そうなんだ。でも今回はちょっとひどい。体に力がはいらないし、腹が痛い」

「出るものが出りゃおさまるよ」

「心配すんな。もしおさまらなかったら、診療所へつれてってやる」ウィルソンが口をはさんだ。「浣腸してもらえるぜ。たぶん気にいるだろうよ」

A棟では囚人の声がまわりのコンクリートや鋼鉄に反響する。うるさくて頭がおかしくなりそうだ。ジャン・バプティストは自分の意志で音を耳にいれたり、しめだしたりすることで、なんとかそれに耐えてきた。がまんできないときは心をべつの場所、たいていフランスへ旅立たせる。だが今日はバトンルージュへ旅立って、弟と再会する。彼は弟でもある。その点については自分でも混乱することがある。

いっしょにいるときは、弟の存在を自分とはちがうものとして認識できる。だがはなれていると、ジャン・バプティストは弟でもある。女性を征服するときはふたりが一体となって、甘美な行為をうみだす。ジャン・バプティストが美しい女性を選ぶ。女性は彼を求める。熱烈に。ふたりはセックスする。ジャン・バプティストは彼女をエクスタシーに導く。ことが終わり、彼女の魂が解きはなたれたとき、ジャン・バプティストはその血にまみれている。彼の舌は女性の肌の塩からい甘みを味わう。それには彼が必要とする鉄分の金属的な味もかすかにまじっている。あとで歯が痛むときは歯ぐきをマッサージし、何回も口をすすぐ。

ジャン・バプティストの独房が見えてきた。彼はコントロールブースにすわっている当番の女性職員をちらっとながめた。ちょっとやっかいだが、手におえないほどではない。どんな人でもあらゆるものを同時に見張ることはできない。実際、彼女は腹を押さえてそろそろと歩いていくジャン・バプティストに目もくれない。今日の午後の主役はケダモノだ。彼はいま、A棟の反対のはしにある特別房で面会者に会っている。そこはたずねてくる親戚や牧師と面会するための部屋で、独房よりはるかにまともだ。この三、四時間、面会者が出入りしているので、ブースの女性職員はケダモノの行動にとくに注意をはらっている。もう何も失うものがないケダモノが、暴れだしかねないからだ。

特別房のドアは格子になっており、ケダモノが悲しそうな顔の心やさしい面会者たちに危害を加えないよう、看守がその動静を見守っている。ブースの女性職員がジャン・バプティストの房のロックを解除し、エイブラムズとウィルソンが彼の手錠をはずしたとき、ケダモノが格子のあいだからジャン・バプティストを見た。

ケダモノは叫び声をあげ、特別房の格子をつかんでとびはねながらわめきはじめた。全員の注意がそちらに向いた瞬間、ジャン・バプティストはウィルソンとエイブラムズの太いベルトをつかんで、ふたりをもちあげた。彼らは仰天して悲鳴をあげたが、その声は棟内のすさまじい騒音にかき消された。ジャン・バプティストはぶあついドアの左のコンクリートの壁にふたりをたたきつけ、ロックがかからない程度にすきまを残して、ドアをしめた。汚れた長い親指の爪で彼らの目をつぶし、磁気をおびた両手で力まかせにのど笛を砕く。顔が青黒く変色するとともに、ふたりはすぐにぐったりした。ジャン・バプティストはほとんど血を流さずに彼らを殺害した。ふたりの目とウィルソンの頭の傷から、すこしばかり血がしたたっているだけだ。

ジャン・バプティストはエイブラムズの制服をはぎとって、身につけた。わずか数秒と思えるほどのはやわざだ。看守の黒の帽子をまぶかにかぶり、死体からはずしためがねをかけた。独房の外にでて、ドアをしめる。大きな金属音がしたが、まわりの騒音のため目立たない。ケダモノは向こうでまだ看守ともみあっている。唐辛子スプレーを顔にあび、今度は本気で悲鳴をあげ、いっそう激しく暴れている。

ジャン・バプティストはエイブラムズのＩＤつきの名札を掲げて、つぎつぎとドアをとおりぬけた。うまくいくことを確信しているので、看守がドアのロックをはずすあいだも落ち着きはらっている。何かに気をとられているようにも見えた。ジャン・バプティストは足を地面につけず、宙にうかんでいるかのように、やすやすと刑務所の外にでた。もう自由の身だ。彼はエイブラムズの車のキーをポケットからとりだした。

101

ジョージ・ブッシュ空港のなかで、スカーペッタは人通りを避けて壁ぎわに立っていた。ブラックコーヒーをのんでいる。体のためにならないことはわかっていた。だが食欲がまったく失せている。一時間ほど前にハンバーガーを買ったが、最初のひと口すらのみこめなかった。カフェインをとると手がふるえる。スコッチを一杯やれば落ち着くだろうが、あえてそうしなかった。どうせ一時しのぎの効果しかない。いまはとりわけ頭をはっきりさせておく必要がある。酒の助けなど借りずに、なんとかストレスに対処しなければならない。

おねがい、電話にでて。心のなかでねがった。

呼び出し音が三回鳴ってから、「なんだよ」。

マリーノはトラックを運転中らしく、大きな音がきこえる。

「ああ、よかった!」スカーペッタは叫び、どこかへ向かったりゲートへ走ったりする人々に背を向けた。「いったいどこへいってたの? 何日も前からつかまえようとしてたのよ。ロッコは気の毒だったわ……」

本当に気の毒なのはマリーノだ。

「その話はしたくねえ」と、彼は答えた。いつもより沈んだ、元気のない声だ。「おれがいってたとこは地獄だよ。バーボンとビールをのんで、電話にでなかった記録としちゃ、今回が最高だな」

「まあ。またトリクシーとけんかしたのね。だからいったでしょ、あの人は……」

「その話もしたくねえんだ」と、またいう。「悪く思わないでくれ、先生」

「いまヒューストンにいるの」

「くそ。やっぱりか」

「会ったのよ。メモもとったわ。全部でまかせかもしれないけど。でもひとつだけ本当らしいことがある。ロッコがダウンタウンのそばの、ゲイの人がたくさん住んでいる地域に家をもっていたって。バトンルージュよ。ロッコの名義ではない可能性が高いけど。でも近所の人はロッコのことを何か知っているはずだわ。その家からいろんな証拠がでてくるかもしれない」

「話はちがうけどよ、ニュースをきいてねえなら教えてやるよ。あのへんの川の支流で、女性の腕が見つかったんだ。いまDNAを調べてるとこだ。最後に誘拐されたキャサリン・ブルースのものかもしれねえ。もしそうなら、犯人は狂暴になってきてるぞ。現場はブラインド川から支流へはいったところだ。ブラインド川はモーリパス湖に流れこんでる。犯人はあのへんの川や沼にくわしいやつにちがいねえ。腕が見つかった水路は、そう簡単には近づけねえところらしい。そのあたりをよく知ってねえと無理だし、まともな人間はまずいかねえとこだとさ。腕はワニをとるための餌だったようだ。ロープの先につけた鉤にひっかけてあった」

「あるいは世間にショックを与えようとしたのかも」

「そうじゃねえと思うな」

「いずれにしても、あなたのいったことはあたってるわ。犯人はエスカレートしてきている」

「いまもつぎの獲物をさがしてるんだろうな」

「わたし、これからバトンルージュへいくの」

「やっぱりな。そうだと思ったよ」トラックのV8エンジンの排気音がひびき、マリーノの声がほとんどきこえない。「八年前におきた、薬ののみすぎかなんかのつまんない事件の捜査を手伝うためにか」

「たんなる薬ののみすぎじゃないわ、マリーノ。知ってるはずよ」

「どんな事件にしろ、あんたがそこへいくのは危険だ。だからおれもそっちへ向かってる。真夜中にでて、ずっと運転しっぱなしだ。しょっちゅう車をとめてコーヒーをのんでる。そのあいまにはまた車をとめてションベンだ」

気はすすまなかったが、スカーペッタはロッコとシャーロット・ダード事件とのかかわりについて、つまりロッコが容疑者と目された薬剤師の弁護士だったことをマリーノに話した。

マリーノはそれがきこえなかったかのようだ。

「まだあと十時間はかかる。それにどっかで寝なきゃなんねえし。だからあんたに追いつくのはたぶん明日になるな」と、彼はいった。

102

ジェイは異形の兄が脱走したことをラジオで知った。

それについてどう思うか、自分でもよくわからない。ジェイは釣り小屋のなかで汗をかいている。頭はぼんやりとかすみがかかったようで、わずか一週間前とくらべても美貌の衰えがめだつ。彼はそれもふくめて、あらゆることをベヴのせいにする。ベヴが町へでる回数がふえるほど、ビールはひんぱんに補充される。以前のジェイは、数週間、あるいは一ヵ月ビールなしでも平気だった。だが最近は冷蔵庫にビールを切らしたことがない。

子供のころフランスで極上のワイン――神にささげるべきワインと父親はいっていた――の味をおぼえて以来、アルコールの誘惑に負けないことは、ジェイにとって大きな課題だった。自由の身で好き勝手に生きていたときは、酒はほどほどにたしなみ、味わって楽しんでいた。ところがいまは安いビールのとりこになっている。ベヴが最後に買い物にいってからは、毎日一ケースのんでいる。

「また買いにいってこなくちゃね」と、ベヴはいった。ジェイはビールの缶をさかさにしてのみほしており、ベヴは彼ののど仏《ぼとけ》が動くのを見つめている。

「ああ、そうしろ」はだかの胸にビールのしずくがたれた。

「お望みどおりにするわ」

「ふざけるな。おまえが望んでるんだろう」ジェイはこわい顔をしてベヴに近づいた。「おれはぼろぼろだよ！」彼女に向かってどなり、ビールの缶をにぎりつぶして部屋の向こうへ投げつける。「おまえのせいだぞ！　おまえみたいなささえない女とこんなところにとじこめられて、のんだくれずにいられるか！」

ジェイはビールをもう一缶冷蔵庫からとりだし、はだしの足で扉を蹴ってしめた。ベヴは反応しない。思わず頬がゆるみそうになるのをおさえている。ジェイが自制心を失い、わけがわからなくなって自分自身を傷つけるのを見ると、ベヴはうれしくてたまらない。やっとジェイをとりもどす方法を見つけたのだ。化け物のような兄が脱走したいま、ジェイはますます荒れて、また何かしでかすにちがいないから、警戒が必要だ。自衛のためには、彼を酔わせておくとよい。なぜもっとはやくそのことに気づかなかったのかふしぎだ。でも五、六週間に一度しか町へでなかったころは、ビールがさほどふんだんに手元になかった。

それが突然、ジェイにもっと町へでろと命じられるようになった。最初は月に一度、つぎは月に二度。ビールを何ケースももち帰るたびに、彼はあきれるほどのむ。つい最近まで、ジェイが酔ったところなど見たことがなかった。酔っぱらっていると、彼はベヴがすりよっていっても拒否しない。ぬれタオルで体をすみずみまでふいてやると、そのまま朦朧《もうろう》となってしまう。翌朝は何もおぼえていない。ベヴが何をしたか、どんなに巧みなやりかたで自分の欲望を満たしたのか、ジェイは知らない。彼自身は泥酔して使いものにならなかったし、しらふのときはもう彼女を相手にしない。

ベヴはジェイがラジオをいじるのを見ていた。雑音が鳴っているが、そのなかで最新ニュースを流す局をさがしている。また酔いつぶれるのも時間の問題だ。知りあってからいままで、彼の体は脂肪とは縁がなかった。ベヴはそのみごとな体に、つねに羨望《せんぼう》と屈辱を感じていた。だがその状況は急速に変わりつつある。もはや目に見えている。ウエストのまわりに脂肪がつき、彼のプライドはだぶついた贅肉《ぜいにく》に押しつぶされるだろう。腕立てふせや腹筋の運動をいくらやっても無駄だ。その美しい容貌も衰えてくるかもしれない。ジェイがとんでもなく醜い姿になって――彼の目にうつるベヴと同じぐらいに――もうこちらのほうからねがいさげ、ということになったら愉快だ。

聖書にでてくるあの話、どういうんだっけ？　サムソン、怪力のもちぬしで美男子のサムソンがなんとかっていう女にいいくるめられて、魔法の髪を切られる。それですっかり力をなくしてしまうのよね。

「ばか女め！」ジェイが叫んだ。「なんでそこにぼうっとつっ立ってるんだ？　兄はこっちへ向かってるんだぞ。もしかしたらもうきてるかもしれない。おれの居所を見つけるにきまってる。いつだってそうなんだ」

「ふたごの兄弟ってそうなんだってね。お互いのことがすごくよくわかるって」わざと使ったふたごということばは、サソリのようにジェイを刺すはずだ。「あんたに危害を加えたりはしないわよ。あたしにだって。ほら、前に会ったことあるじゃない。あたしを気にいってるんじゃないかな、見た目を気にしないから」

「あいつの気にいる人間なんていやしない」ジェイはニュースをきくのをあきらめ、腹立たしげにラジオのスイッチを切った。「おまえは現実がわかってないんだ。やつがばかなことをする前に、早く見つけなきゃ。さもないとまたどっかの女に目をつけて、やっちまうかもしれない。女の体中に嚙みあとを残して、頭をたたきわるんだ」

「やるのを見たことある？」ベヴはさりげなくたずねた。

「ボートの用意をしろ、ベヴ」

最後に名前を呼ばれたのはいつだったろう？　その豊潤《ほうじゅん》なひびきにうっとりする。まるでとけたバターのようだ。

だがジェイのつぎのことばが、心地よい気分に水をさした。「あの腕の件はおまえのせいだからな。犬をもって帰っていれば、あんなことにはならなかったんだ」

この前ベヴが町にいって以来、ジェイはワニ用の餌をもってこなかったと文句をいうばかりで、もってきたものについてはいっこうに感謝しない。

ベヴは壁ぎわにある主のいないマットレスを見つめた。

「ワニの餌ならいっぱいあるじゃない」何日か前にベヴはいった。「もてあますほどでしょ、最近は」

人間の肉もワニの餌として十分使える、もしかしたらもっとうまくいくかもしれない。ベヴはそういって彼を納得させた。ジェイは自分の背丈より長いワニをとらえて楽しむ。ワニがのたうちまわるのをながめ、飽きると頭を撃って殺す。逃亡者である彼は、獲物をもち帰らない。ナイロンロープを切って、ワニの死骸が水中に沈んでいくのを見守る。そしてボートで小屋へ帰ってくる。

ところがこのあいだはことがそんなふうに運ばなかった。鉤に餌をつけてヌマスギの太い枝につるしたとき、近くでべつのボートの音がしたことをぼんやりおぼえている。だれかがワニを狩りに、あるいはカエルをとりにきたのだろう。ジェイはあわてて逃げだした。餌のついた鉤を黄色いナイロンロープにぶらさげたまま。それを切り落とすべきだった。大きな誤りをおかしたくせに、彼はそれを認めようとしない。ほかのハンターなどいなかったのではないかとベヴは思っている。空耳《そらみみ》だったのではなかろうか。それに頭もまともに働かなかったようだ。ほかのハンターがわなにかかったワニを見つけたら、餌が口からはみだしているのに気づくか、死骸を処置したときそれが腹のなかに残っているのを発見することになるのに。

「いわれたとおりにしろ、ちくしょうめ。ボートの用意をするんだ」ジェイはベヴに命令した。「あいつをなんとかしなきゃならないから」

「どうやって?」ベヴは落ち着きはらってたずねた。目の前の逆上した男を見て、胸がすっとしている。

「いっただろ。あいつはおれを見つけるって」ジェイは頭がずきずきしはじめている。「おれがいないと生きていけない。おれなしでは死ぬこともできないんだ」

103

午後の遅い時間だった。スカーペッタは前から十五列目の座席に、窮屈そうに足をちぢめてすわっている。

左隣の席にいるのはかわいらしいブロンドの男の子で、歯列矯正器《きょうせいき》をつけている。その子は所在なさそうに、トレーのうえにのせた遊戯王のカードから、何枚かをぬいた。右隣の窓ぎわの席では、五十代とおぼしき肥満体の男が、スクリュードライバーをのんでいる。メタルフレームのめがねをたえずおしあげているが、その特大のフレームを見るとエルヴィスを思いだす。その太った男はばさばさ音をたてて『ウォールストリート・ジャーナル』をめくり、ときおりちらっとこちらを見る。話をしたいらしい。スカーペッタは知らんふりをしている。

少年はまた一枚カードをぬき、表をむけてトレーにおいた。

「だれが勝ちそう？」スカーペッタは彼にほほえみかけた。

「相手はいないんだ」少年はうつむいたまま答えた。

年は十歳くらいだろうか。ジーンズに色あせたスパイダーマンのシャツを着て、テニスシューズをはいている。「勝負するなら四十枚はもってないとね」と、彼はいいたした。

「じゃ、わたしはだめね」

少年はカードを一枚手にとった。色あざやかなカードで、おそろしげな斧《おの》が描いてある。

「ほら、これがいちばん好きなやつ。『デーモンの斧』っていうんだ。モンスターにちょうどいい武器でね、千ポイントなの」また一枚めくる。今度のはアックス・レイダーだ。「すごく強いモンスターでね、斧をもってるの」と、彼は説明した。

スカーペッタはしばらくカードを見てから、首をふった。「だめだわ。わたしにはむずかしすぎる」

「遊びかたおぼえたい？」

「無理だと思うわ。あなたの名前は？」

「アルバート」彼はカードの束からまた何枚かぬいた。「アルじゃないんだよ」と、念をおす。「みんなアルって呼びたがるの。でもアルバートなんだ」

「はじめまして、アルバート」こちらの名前はいわない。

窓側にすわった男が体をひねってこちらを向いた。彼の肩が二の腕にあたる。「話しかたをきいてると、ルイジアナ出身じゃなさそうだね」

「ええ、ちがいます」スカーペッタは男から身をひきながら答えた。強烈なコロンのにおいが鼻をつく。さっき彼女を立たせてトイレへいったが、そのときにたっぷりつけてきたのだろう。

「いわれなくてもわかるよ。ひと言かふた言きくだけで」男はスクリュードライバーをすすった。「どこの出身かあててみよう。テキサスでもないな。メキシコ人にも見えないし」歯をむきだして笑う。

スカーペッタは『サイエンス』誌にのっている構造生物学の記事のつづきを読みはじめた。ほっといてちょうだいというあからさまなメッセージが、いつこの男に伝わるのだろう？

知らない人から声をかけられることはめったにない。だが話しかけられると、相手はたいてい二分以内に、どこへ何をしにいくのかをきいてくる。そしてやがて、彼女の職業という飛行制限空域にはいりこんでくる。医者だと告げても質問は終わらない。法律家だといっても同じだ。その両方であることをうちあけると、やっかいなことになる。さらに法病理学者であることを説明しようものなら、機中の時間がだいなしになるのはまちがいない。

ジョンベネ・ラムゼイやO・J・シンプソンをはじめ、あやしげな事件や誤審の話がつぎつぎにもちだされる。高度三万フィートの上空で、座席にしばりつけられているスカーペッタは、逃げようにも逃げられない。一方、彼女の仕事にはまったく興味がなく、あとで会っていっしょに食事をするとか、できればホテルのバーで一杯やって、その後部屋へ誘いたいと思っているだけの男もいる。そういう手合いは、いま右隣にすわっているほろ酔いきげんのさえない男と同様、彼女の経歴をきくよりも体をじろじろ見たがる。

「やけにむずかしそうな記事を読んでるね」男がまた話しかけてきた。「学校の先生かなんかだな」

スカーペッタは彼を無視する。

「わたしのカンはあたるんだよ」男は目を細めて太い指を鳴らし、彼女の顔を指さした。「生物の先生だな。近ごろのがきはどうしようもないよね」酒のはいったプラスチックのコップをトレーからとり、コップをゆすって氷を鳴らす。「よくあいつらのそばにいられると思うよ、正直いって」彼女が教師だときめつけて、話をつづける。「しかもすぐ学校に銃をもちこむしね」

スカーペッタは男のはれぼったい目が向けられているのを感じながら、読みつづけた。

「子供はいるの？　うちは三人だ。全員ティーンエージャーだ。というと、こっちは十二ぐらいで結婚したことになるか」笑った男の口からつばが飛びちった。「名刺をもらえる？　バトンルージュにいるあいだに、ちょっと講義をおねがいしたいってことになるかもしれないから。乗り継ぎ？　それともバトンルージュに用があるの？　わたしの家はダウンタウンにある。名前はウェルドン・ウィン。Nがふたつのウィンだ。政治家にちょうどいい名前だろう？　もし立候補したら、どんなスローガンができるか想像つくだろう」

「いつ着くの？」アルバートがスカーペッタにたずねた。

彼女はウェルドン・ウィンという名前から受けた衝撃を隠し、腕時計を見て笑顔をつくった。「もうすぐよ」と、少年にいう。

「そうとも、ルイジアナ中にそれがはってあるのが目に見えるようだ。『ウィン・ウィン《みんな満足》』わかるかい？　『ウィナー《勝者》とともに』もいいな。対立候補の名前がミラクルだったらいうことないね。『ウィンにミラクル《奇跡》は不要』はどうだい？　そして世論調査でミラクル氏の支持率がどんどんさがってきたら、『ミラクルホイップ《やきのまわったミラクル》』と呼ばれるんだ」彼は片目をつぶってみせた。

「女性候補と争う可能性はないのね」スカーペッタは雑誌から顔をあげずにいった。ニック・ロビヤードがウェルドン・ウィンについての不満をもらしていたので、彼がルイジアナ州の中部地区連邦検事であることは知っているが、そのことはおくびにもださない。

「とんでもない。わたしと争うような女はいないさ」

「そう。それであなたはどういう種類の政治家なの？」スカーペッタはようやくたずねた。

「目下のところは政治家になる志があるってだけでね、べっぴんさん。わたしはバトンルージュの連邦検事なんだ」

彼はその地位の重要性をよく理解させるためにことばを切り、スクリュードライバーをのみほして、首をのばして客室乗務員をさがした。そして見つけると手をあげ、ぱちんと指を鳴らした。

ジャン・バプティスト・シャンドンと面会したあと、不審な死亡事件の捜査の手助けにいく途中、ウェルドン・ウィンと同じ飛行機にのりあわせる。それも隣の席に。そんなことが偶然におきるはずがない。しかもドクター・ラニエによると、ウィンはシャーロット・ダードの事件に関心を抱いているという。

ウィンはどうやってヒューストンで自分をうまくつかまえたのだろう？　あらかじめそこにいて、待ちかまえていたのかもしれない。ウィンは彼女が何者で、なぜこの便にのっているのか知っているにちがいない。

「ニューオーリンズに別荘をもってるんだ。フレンチクォーターにあってね、なかなか居心地のいい家だ。ここにいるあいだに一度遊びにくるといい。もっともニューオーリンズには二、三日しかいられないけど。知事やほかの連中と打ち合わせがあるのでね。よかったら州都バトンルージュを案内しよう。ヒューイ・ロングが撃たれたときの、柱に残った弾痕も見せてあげるよ」

ルイジアナの知事だったヒューイ・ロングが暗殺された事件については、くわしく知っている。九〇年代前半に事件が再調査されたとき、新たに判明した調査結果が法科学界のさまざまな場で議論されたのだ。ウェルドン・ウィンのえらそうな物言いには、もううんざりだった。

「ご参考までにいうと、大理石の柱に残された弾痕なるものは、ヒューイ・ロングまたはほかのだれかをねらった弾丸によってついたのではない。もともと石のその部分が欠けていたか、観光客めあてに彫ったものである可能性が高いのよ」スカーペッタのことばをきいて、ウィンの目がくもり、笑顔がこわばる。「それにね、暗殺事件のあと議事堂は再建されたの」と、彼女はいいたした。「問題の柱をふくむ大理石の壁は、もとの場所から撤去されたままになってるのよ。州都に長くいらして、そんなこともご存じないなんて意外だわ」と、しめくくる。

「おばさんが迎えにきてくれることになってるんだけど、着くのが遅くなって、待っててくれなかったらどうしよう?」まるでいっしょに旅行しているかのように、アルバートがスカーペッタにたずねた。

カードにはあきてしまったようだ。青い携帯電話の横に、きちんとつみかさねてある。

「いま何時?」と、彼はスカーペッタにきいた。

「もうすぐ六時よ。眠いならすこし寝たらいいわ。着陸しそうになったらおこしてあげるから」

「眠くないもん」

ヒューストンのゲートでアルバートを見かけたことを思いだした。やはりカードで遊んでいた。隣に大人がいたので、だれかといっしょに旅行していて、機内では家族か知人ははなれた席にすわっているとばかり思っていた。このご時世に、子供をひとりで旅行させる親や親戚がいるとは信じられない。

「そりゃたいしたもんだ。弾丸についてくわしいなんて人は、そうざらにはいないだろうな」乗務員に酒のおかわりをもらいながら、連邦検事がいう。

「そうでしょうね」スカーペッタの注意は、途方にくれる隣の少年に向けられている。「ひとりじゃないんでしょ？　学校はどうしたの？」

「春休みだよ。ウォルトおじさんが送ってくれて、空港では女の人がまっててくれたの。疲れてなんかいないよ。すごく遅くまでおきてることだってあるんだから。映画を見ながらね。うちのテレビ、チャンネルが千ぐらいあるんだ」ちょっと間をおいて肩をすくめる。「まあそんなにはないかな。でもいっぱいだよ。おばさん何かペットを飼ってる？　ぼくは前に犬を飼ってた。ネスレって名前だった。どうしてかっていうと、チョコレートチップスみたいな色だったから」

「そうねえ、チョコレート色の犬はいないけど、イングリッシュ・ブルドッグなら飼ってるわ。白と茶色で、下の歯がすごく大きいの。ビリーっていう名前よ。イングリッシュ・ブルドッグってどんな犬か知ってる？」

「ピットブルみたいなの？」

「ピットブルとはぜんぜんちがうわ」

ウェルドン・ウィンが会話にわりこんできた。「バトンルージュではどこにお泊まりか、きいてもいいかな？」

「ぼくが家をるすにしてるとき、ネスレはさびしがったんだよ」アルバートがなつかしそうにいう。

「もちろん彼はさびしがったでしょうね。ビリーもさびしがってると思うわ。でも秘書のおばさんが面倒みてくれているの」

「ネスレは女の子だったんだよ」

「じゃ、彼女はどうなったの？」

「わからない」

「ほんとになぞめいたご婦人だな、あなたは」連邦検事がスカーペッタを見つめていう。

そちらを向くと、彼の目にひややかな色がうかんでいるのが見えた。

スカーペッタは身をよせて彼の耳にささやいた。「たわごとはもうたくさんよ」

104

そのリアジェット三五は国土安全保障省が所有するジェット機で、ベントン以外に乗客はいない。

バトンルージュのルイジアナ・エアに着陸すると、ベントンは急ぎ足でタラップをおりた。やわらかいバッグをもったその姿は、かつてのベントンとは似ても似つかない。顔中ひげだらけで、黒いスーパーボウルの野球帽をかぶり、色つきのめがねをかけている。黒のスーツはサックスで買ったつるしだ。昨日はサックスの男性用品売り場をかけずりまわっていた。靴はプラダで、黒革のラバーソール。プラダのベルトに、黒いTシャツを着ている。靴とTシャツ以外はどれも体にぴったりあっていない。もう何年もスーツとは縁がなかった。サックスでこれを試着しているとき、かつて親しんでいたやわらかな風合いの新しいウールやカシミヤ、ポリッシュト・コットンがなつかしい、とふと思った。そのころは仕立屋がそで丈をはかって、チョークでしるしをつけていた。

ベントンが死んだとされた後、スカーペッタは彼の上等な服をだれにあげたのだろう？彼女の性格はよくわかっている。現実をかたくなに拒むたちであることを考えると、自分ではやらずにだれかにたのんでクローゼットのなかのものを処分したか、ルーシーにでも手伝ってもらったのだろう。ルーシーは真相を知っているのだから、比較的楽に彼の私物を処分できただろう。いや、しかしそれも、芝居をしなければならないことを、そのときルーシーがどう感じたかによる。スカーペッタの心の痛みと、想像を絶する苦しみや悲しみを思うと、一瞬胸がつまった。彼女がそれにうまく対処できたとは思えない。

やめろ！　あれこれ推測して時間と精神的エネルギーをむだにするのは。くだらないことを考えるな。集中するんだ。

滑走路を足早によこぎっているとき、ベル四〇七型機がとまっているのが目にはいった。黒に近いダークブルーの機体にはポップアップ・フロートとワイヤー・ストライクが装備され、色あざやかなストライプがはいっている。テールナンバーに目がとまった。四〇七ＴＬＰ。ザ・ラスト・プリシンクト《The Last Precinct》の頭文字だ。

ニューヨークからバトンルージュまでの飛行距離は約千六百キロだ。風の状態と燃料の補給回数にもよるが、向かい風でも十時間あればこられたはずだ。追い風だったらもっとずっと早くこられる。いずれにしても、今朝早く出発していれば、午後の遅い時間には到着しているはずだ。ルーシーはそれ以後何をしているだろう？　マリーノもいっしょだろうか？

ニューオーリンズで借りたえんじ色のジャガーが、駐車場に届いているはずだった。それはプライベート機で移動するものの特権のひとつだ。ここはＦＢＯ、つまり管制塔のない小さな民間の飛行場だ。ベントンはカウンターの若い女性に話しかけた。彼女の背後のモニターに、到着便の状況が表示されている。画面にはごくわずかな便しかでておらず、彼がのってきた便が最新の到着便としてしるされている。ルーシーのヘリコプターはもう画面上にはない。つまり、到着してからかなり時間がたっているということだ。

「レンタカーが届いているはずなんだが」手違いはないはずだ。ロード上院議員が細かいことまで手配してくれているだろう。

女性はレンタカーのフォルダーを調べはじめた。ニュースの音が耳にはいり、ベントンはふりむいた。すみの小さなラウンジでパイロットたちがCNNニュースを見ている。画面にはジャン・バプティスト・シャンドンの昔の写真がうつっていた。いまさら驚きはしない。シャンドンは殺害したふたりの看守のうちのひとりに変装して、今日の午後の早い時間に脱走していた。

「ひぇー、まるで化け物だな」パイロットのひとりがいう。

「冗談だろう！　ありゃとても人間とは思えないよ」

画面にうつっているのは、三年前にシャンドンがリッチモンドで逮捕されたときの顔写真だ。毛をそっていないので、額まで細い毛におおわれたその顔は、醜悪そのものだ。こんな昔の写真を放映すべきではない。きれいに毛をそっていなければ、刑務所から脱走できるはずはない。毛むくじゃらだと人目をひくにきまっている。一般市民にあの昔の顔写真を見せても、何の役にもたたない。帽子をかぶったりサングラスをかけたりして、そのグロテスクな顔を隠していればなおさらだ。

カウンターのなかの事務員はぎょっとした様子で、口をぽかんとあけて部屋の向こうのテレビを見つめている。

「あんなのに会ったら、心臓マヒおこして死んじゃうわ!」と、彼女は叫んだ。「あれ本物なの、それともあのすごい毛はにせ物なのかしら?」

ベントンは、成功したビジネスマンが時間を気にしているというふうに、腕時計に目をやった。だが一般市民を守る法の執行者としての本能は、おさえることができない。

「本物だよ、残念ながら」と、事務員にいった。「数年前に何件か殺人をおかしている。やつが脱走したというんだから、みんな気をつけたほうがいいな」

「ほんとにそうですね」彼女はレンタカーの書類のはいった封筒をベントンにわたした。

「クレジットカードをお借りしたいんですが」

ベントンはアメリカンエクスプレスのプラチナカードを札入れからとりだした。札入れには現金も二千ドルはいっている。ほとんどが百ドル札だ。それ以外に、あちこちのポケットにも金をいれてある。ここにどれぐらいいることになるのか見当がつかなかったので、準備だけはしてきたのだ。彼はレンタカーの書類にイニシャルでサインした。

「ありがとうございました、ミスター・アンドリュース。それではお気をつけて」事務員は営業用のにこやかな笑みをうかべていった。「どうかバトンルージュで楽しいひとときをおすごしください」

105

スカーペッタはしだいに緊張してきた。バトンルージュ空港のメインターミナルで、コンベアにのった荷物が目の前をとおりすぎるのを、アルバートといっしょに見ている。そろそろ午後七時になる。だれもアルバートを迎えにきていないのではないかと、本気で心配になった。アルバートは自分の荷物を回収した後、コンベアからバッグをおろすスカーペッタの横にへばりついていた。

「おともだちができたようだな」突然、背後にウェルドン・ウィンがあらわれた。

「いきましょう」彼女はアルバートに声をかけた。ふたりはガラスの自動ドアをとおりぬけて外へでた。「おばさんの車、もうすぐくるわよ。たぶんぐるぐるまわっているんだと思う。歩道のそばには駐車できないからね」

迷彩服を着て武装した兵士が、バゲージエリアと外の歩道をパトロールしている。にこりともしない兵士の存在も、突撃銃のトリガーガードにかかった指も、アルバートの目にははいらないようだ。彼の顔はまっ赤だった。

「ふたりで話をする必要があるな、ドクター・スカーペッタ」連邦検事のウィンはついに彼女の名前を口にして、大胆にも彼女の肩に腕をまわしてきた。

「その手はどけたほうがいいと思うわ」スカーペッタは低い声で警告した。

彼は腕をどけた。「ここではどんなふうにことが運ばれるのか、知っておいたほうがいいと思うね」つぎつぎと歩道に近づいてくる車を見ながらいう。「われわれはいずれ会うことになる。進行中の捜査に関する情報はすべて重要だ。情報をもっているものがいたら……」

「わたしはそんなものもってないわ」彼のことばをさえぎった。全面的に協力しないなら召喚して供述させる、と無礼にもほのめかしているのだ。「わたしがバトンルージュへくることはだれにきいたの？」

アルバートが泣きだした。

「ちょっとした秘密をお教えしようか、きれいなご婦人よ。このあたりでおきることは、なんでもわたしの耳にはいることになってるんだ」

「ミスター・ウィン。正当な理由があってわたしと話がしたいなら、喜んで応じるわ。ただし適切な場所でならね。空港の外の歩道はそれにあてはまらないわ」

「それじゃ楽しみにしてるよ」ウィンは片手をあげて指を鳴らし、運転手に合図した。

スカーペッタはバッグを肩にかけ、アルバートの手をとった。「心配しないで。大丈夫よ」と、いいきかせる。「おばさんはこっちへ向かっているところだと思う。でも何かのせいで遅れたとしても、わたしはあなたをひとりでほうりだしたりはしないから。わかった？」

「でもぼくおばさんのこと知らないもん。知らない人についてっちゃいけないといわれてるんだ」アルバートは泣き声でいった。

「飛行機でいっしょにすわったじゃない」そういったとき、ウェルドン・ウィンの白いストレッチ・リムジンが歩道に近づいてきた。「だからすこしは知ってるでしょ。約束するわ。あぶない目にはあわせないって。ぜったいに」

ウィンは後部シートにのりこみ、ドアをしめた。濃い色つきガラスにさえぎられて、もう姿は見えない。迎えの車やタクシーが停車し、トランクがあけられる。恋人や家族が抱きあう。アルバートは涙のたまった目を見開いて、おどおどとあちこちに目をやっている。不安がこうじて興奮状態におちいっているようだ。スカーペッタは去っていくリムジンのなかのウィンの視線を感じた。ビー玉を床にぶちまけたように、頭のなかで考えが散り散りになる。いま何をすればいいか整理して考えるのがむずかしいが、とりあえず携帯電話で番号案内サービスにかけた。ウィンはフレンチクォーターに家をもっているといっていたが、ニューオーリンズにはウェルドン・ウィンはもちろん、ウィンという苗字で届けられている番号はひとつもないことが、すぐにわかった。バトンルージュの彼の家も届けられていない。

「そんなことだと思ったわ」と、スカーペッタはつぶやいた。彼女が夕方ここへ着くことをだれかがウィンに教え、彼はヒューストンへ飛んで、同じ便の隣の席にすわれるよう手配したとしか考えられない。

この気がかりで不可解なことのなりゆきに加えて、見ず知らずの子供の面倒までみるはめになってしまった。どうやらアルバートは家族に見捨てられたようだ。

「おばさんの電話番号は知ってるんでしょう？　電話してみましょう。そういえば、あなたの苗字をまだきいてなかったわね」ふと思いついていった。

「ダードだよ。ぼくも携帯もってるけど、電池が切れちゃってるの」

「えっ？　苗字はなんですって？」

「ダードだよ」アルバートは肩を丸めて涙をぬぐった。

106

アルバート・ダードはうつむいて汚れた歩道に目を落とし、小さなクッキーのような形の灰色にひからびたガムを見つめている。

「どうしてヒューストンにいたの？」スカーペッタは彼にたずねた。

「飛行機をのりかえるから」アルバートはまた泣きだした。

「でもその前は？　どこからきたの？」

「マイアミ」彼はますます落ち着きを失ってきた。「春休みだからおじさんの家に泊まりにいってたの。そうしたらおばさんがすぐに帰ってこいって」

「それ、いつのこと？」スカーペッタはもうおばさんをさがすのをあきらめ、アルバートの手をひいてまたバゲージエリアへもどり、ハーツのレンタカーの受付へ向かった。

「今朝だよ。きっとぼくが何かいけないことしたんだ。ウォルトおじさんが部屋にはいってきて、ぼくをおこしたんだ。すぐ帰らなきゃいけないって。まだあと三日泊まるはずだったのに」

スカーペッタはしゃがんでアルバートの目をのぞきこみ、肩にそっと手をかけてたずねた。「アルバート、お母さんはどこにいるの？」

彼は下くちびるをかんだ。「天使のところ。天使はいつもそばにいるっておばさんはいうんだ。でもぼくは一度も見たことない」

「お父さんは？」

「遠くにいる。すごく大事な仕事をしてるんだって」

「おうちの電話番号を教えてちょうだい。どうなってるのか調べてみましょう。それともおばさんの携帯電話の番号を知ってる？　おばさんの名前は？」

アルバートからおばの名前と自宅の電話番号をきいて、電話をかけた。何度か呼び出し音が鳴ったあと、女性がでた。

「もしもし、ミセス・ギドンはいらっしゃいますか？」と、きいた。アルバートは彼女の手をしっかりにぎっている。

「どちらさまでしょうか？」女性はていねいな口調でいった。ことばにフランス語のなまりがある。

「ミセス・ギドンの知りあいではありませんが、彼女の甥《おい》のアルバートといっしょです。空港にいるんですが。どなたも迎えにいらっしゃらないようなので」電話をアルバートにわたして、「さあ」と、うながす。

「もしもし、だれ？」妙なことにアルバートはたずねた。そしてすこし間をおいて、話しはじめた。「だってきてくれなかったじゃないか。だからだよ。名前は知らない」顔をしかめて、とげのあるいいかたをしている。

スカーペッタは彼に名前を教えようとはしなかった。アルバートは彼女の手をはなし、こぶしをにぎりしめた。そしてそのこぶしで自分のももをたたきはじめた。

相手の女性は早口でまくしたてている。声はきこえるが、何をいっているのかはわからない。彼女とアルバートはフランス語でしゃべっている。彼はやがて腹立たしげに電話を切って、スカーペッタに携帯電話をかえした。彼女は当惑してアルバートを見つめた。

「フランス語、どこでならったの？」

「ママにね」暗い声でいう。「それにイヴリンおばさんがいっぱいしゃべらせるの」また目に涙があふれてくる。

「じゃこうしましょう。レンタカーをとってきて、あなたを家まで送ってあげる。道は教えられるわね？」

アルバートは涙をふいてうなずいた。

バトンルージュの空はさまざまな高さの黒い煙突にふちどられ、真珠色のスモッグが暗い地平線のうえに帯状にかかっている。

遠くの石油化学工場の煌々《こうこう》たる灯りが夜空をてらしていた。

新しくできたともだちの運転する車でリバー・ロードを走り、ルイジアナ州立大学のフットボールスタジアムの近くをすぎるころには、アルバート・ダードのきげんもなおってきた。前方のミシシッピ川が優雅に湾曲した部分にそって、鉄の門と古びたれんがの柱が見えてきた。アルバートはそれを指さした。

「あそこ。あれがそう」

アルバートの住まいは道路から四、五百メートル奥まったところにあった。うっそうと茂った木々のうえに、壮大なスレートの屋根と煙突が数本つきでている。スカーペッタは車をとめた。アルバートが車をおりてキーパッドに暗証番号を入力すると、門がゆっくり開く。車は徐行しながら古典様式を模したやしきへ向かった。波ガラスのはまった小さな窓がならび、重厚な石造りのフロントポーチがついている。カシの古木が敷地を守るかのように、そのうえにおおいかぶさっている。やしきの正面の丸石をしいた車道に、古い白のボルボがとめてあるが、それ以外に車は見あたらない。

「お父さんはいまはおうち？」レンタカーのシルバーのリンカーンで敷石の上をがたがた走りながらたずねた。

「ううん」アルバートがうかない顔で答える。スカーペッタは車をとめた。

車をおりて急なれんがの階段をあがる。アルバートがドアの鍵をあけて防犯ベルを解除し、ふたりはなかへはいった。やしきは南北戦争前の建築様式を復元したものだ。手彫りの繰形《くりがた》、濃い色のマホガニー、彩色された羽目板などの特徴が見られる。アンティークのペルシャ絨毯《じゅうたん》はすりきれて、うらぶれた感じがする。ダマスク織りのぶあついカーテンが房つきのひもで窓の両側にまとめられ、窓からかすかな光がさしこんでいる。らせん階段が二階へつづいていた。木の床の上を歩くあわただしい足音が二階からきこえてくる。

「あれがおばさんだよ」と、アルバートがいった。鳥のような骨格の無表情な黒い目をした女性が、つやつやした木のてすりに手をすべらせながら階段をおりてくる。

「ミセス・ギドンです」彼女は軽やかな足どりで、玄関ホールまで足早に歩いてきた。

肉感的な口と繊細な鼻のもちぬしだ。もっとやさしい表情をしていれば、また服装もこれほど地味でなければ、美人といえるだろう。ハイカラーのえりもとを金のブローチでとめ、黒のロングスカートにぶかっこうな黒い編み上げ靴をはき、黒髪を後ろできっちりまとめている。四十代に見えるが、年齢を推測するのはむずかしい。肌はなめらかで、ぬけるように白い。まるで陽をあびたことがないかのようだ。

「お茶でもいかが？」ミセス・ギドンのほほえみは、その場のよどんだ空気と同じように冷えびえしている。

「そうだよ！」アルバートがスカーペッタの手をつかんだ。「お茶をのんでいって。クッキーもね。ぼくの新しいともだちなんだもの」

「あなたのお茶はありませんよ」ミセス・ギドンがアルバートにいった。「いますぐ自分の部屋へいきなさい。スーツケースをもっていくのよ。わたしがいいというまで、おりてきたらだめ」

「いっちゃわないでね」アルバートはスカーペッタにいい、「おばさんなんか大きらいだ」と、ミセス・ギドンにいった。

彼女はそれを無視した。そのことばをきくのははじめてではないようだ。「おかしな子ね。こんなに遅い時間だから、疲れてきげんが悪いのね。さあ、さようならをいいなさい。このやさしいおばさんにはもう会えないから」

スカーペッタは思いやりをこめて彼に別れのことばをいった。

アルバートは怒ったようにどしどしと階段をあがっていった。ときどきふりかえってスカーペッタのほうを見る。その顔を見ると胸が痛んだ。やがて二階で木の床の上を歩く音がしはじめた。スカーペッタはこの感じの悪い奇妙な女主人をきびしい目で見つめた。

「小さな子にずいぶん冷たいのね、ミセス・ギドン。あなたやアルバートのお父さんは、いったいどういう人たちなの？　見ず知らずの人間にアルバートをつれて帰らせるなんて」

「失望したわ」ミセス・ギドンの横柄《おうへい》な態度は変わらない。「あなたほどの科学者だったら、仮説をたてる前に調査すると思ったけど」

108

ルーシーとマリーノは携帯電話で話している。

「彼女はどこに泊まるつもりかしら?」ルーシーがきいた。彼女は駐車場にとめた黒いSUV車リンカーン・ナビゲーターのなかにいる。

ホテルの駐車場に車をとめて、エンジンとライトを消してじっとしていれば目につかないだろう、と彼女とルーディは考えたのだ。

「検視官のところだ。ひとりでホテルに泊まるんじゃなくてよかったよ」

「あたしたちだってホテルには泊まらないほうがいいわ。ちょっと、もうすこし音の静かなトラックにのったらどう?」

「そういうのがありゃな」

「その検視官、どういう人物なの? 名前は?」

「サム・ラニエだ。経歴にはあやしいところはなさそうだ。先生のことを調べようとして電話をよこしたときも、こいつは問題ねえって感じだった」

「もしそうじゃなかったとしても、おばさんは大丈夫よ。彼はお客をもう三人ひきうけることになるんだから」

109

繊細なウェッジウッドのティーカップが、ソーサーにあたってかすかな音をたてた。

ミセス・ギドンとスカーペッタはキッチンテーブルの前にすわっている。そのテーブルは何世紀も前に肉切り台として使われていたもので、スカーペッタにとっては嫌悪の情をもよおす代物《しろもの》だ。その台のうえでニワトリなどの動物が殺され、切り刻まれたことを考えずにはいられない。使いこまれてへこんだ木には、たたき切ったあとが残っており、割れ目や変色した箇所もある。職業柄さまざまな知識があるために不快な気分になってしまうのだが、木材のような多孔質のものについたバクテリアを殺すことは、まず不可能だ。

「なぜ、そしてどうやってわたしがここへくるようにしむけたの？　いいかげんに答えてちょうだい」スカーペッタの目は真剣だ。

「アルバートがあなたをともだちと見なしたのは、とてもいいことだわ。ともだちをつくるようにいつもすすめているんだけど。同じ年頃の子供といっしょにする学校のスポーツやなんかを、いっさいやろうとしないの。このテーブルで」青白い小さな手の指関節で、肉切り台をコツコツとたたく。「一人前にあなたやわたしとおしゃべりできると思ってるのね」

質問に答えない、あるいは現実を否定しようとする人間を長年扱ってきたおかげで、スカーペッタはさりげない会話から真実をすくいとるすべを身につけている。「どうしてアルバートは同じ年頃の子供とつきあわないのかしら？」と、たずねてみる。

「さあ。なぞね。昔から変わった子だったけど。家にいて宿題をしたり、最近の子供がやる妙なゲームをして遊んだり。怪物の絵がついたカードを使ってやるゲームね。カードゲームにコンピューターゲーム。とにかくカードが大好き」おおげさな身ぶりでいう。フランス語なまりが強く、英語はぎごちない。「大きくなるにつれてそれがひどくなってね。ひとりでカードゲームをして遊んでいるの。家にいるときは自分の部屋にとじこもって、でてこないことが多いわ」突然声がやわらぎ、気づかうような様子を見せた。

スカーペッタの目にはいるものはみな矛盾だらけで、見ていると落ち着かない。キッチンには時代遅れのものと新しいものがまじりあっている。キッチン自体がこの家とその住人を象徴しているかのようだ。スカーペッタの背後には、まるで洞窟《どうくつ》のような暖炉がある。手細工のいかめしい鉄の薪《まき》のせ台には、この三倍の広さの部屋をあたためるだけの薪をおけそうだ。外へでるドアの横には、複雑な警報システムのキーパッドと、モニターのついたアイホンがある。すべての入り口に監視カメラがそなえてあるにちがいない。もっと大きなべつのキーパッドもあるところを見ると、この古めかしいやしきはハイテク化されているらしい。いくつもモデムがあり、冷暖房や電灯、テレビやオーディオ、ガスの暖炉といった機器はリモコンで調整したり、つけたり消したりできるようになっている。だがそうした機器やサーモスタットは古く、三十年ほど前のもののように見える。

みかげ石でできたカウンターのうえの包丁立てはからっぽで、ホウロウ引きのシンクのなかにも刃物はない。見えるところにナイフの類はいっさいおいてない。それなのに暖炉のうえの壁には十九世紀の刀剣類がかけてある。重厚なクリ材の炉棚のうえに、三八口径と思われるラバーグリップのリボルバーもあった。黒革のホルスターにおさめられている。

ミセス・ギドンがスカーペッタの視線の先に目をやった。その顔に腹立たしげな表情がよぎる。しまった、うっかりしていた、と思っているようだ。見えるところにリボルバーをおきっぱなしにしたのは彼女のミスだった。「もちろんお気づきだと思うけど、ミスター・ダードはセキュリティに関してはとてもうるさいの」肩をすくめてためいきをつく。ミスター・ダードが異常なほど用心深いことを、こっそり打ち明けてでもいるようだ。「バトンルージュは犯罪が多いの。もちろんご存じでしょうけど。お金があってこんな家に住んでいると、心配になるのね。わたしはいつもびくびくしているような人間ではないけど」

スカーペッタはミセス・ギドンに対する嫌悪の情を顔にださないように気をつけている。だがアルバートの日ごろの生活を想像すると、怒りにかられずにはいられなかった。この古びたやしきにまつわる秘密を、どこまでほりだすことができるだろう？

「アルバートはとてもさびしそうだわ。飼っていた犬がいなくなって。新しい犬を手にいれてあげたらどうかしら。ひとりぼっちでともだちもいないんだし」

「あの子の場合は遺伝ね。母親も――わたしの妹だけど――気がふさぐたちだったから」ミセス・ギドンはことばを切って、いいたした。「もちろん、ご存じよね」

「わたしが知っているはずのことを、もっといってみてちょうだい。わたしのことをずいぶんいろいろご存じのようね」

「あら、鋭いわね」ミセス・ギドンは見下したような調子で答えた。「でも思ったほど用心深くないのね。アルバートがあなたの携帯電話でかけてきたでしょう、おぼえてる？　あなたのような評判の人にしては、軽率だわ」

「わたしの評判について、どんなことを知っているというの？」

「ナンバーディスプレイを見たら、あなただとわかった。休暇か何かで突然バトンルージュへきたわけじゃないわよね。シャーロットの事件はとてもこみいってるの。彼女の身に何がおこったのか、トラックの運転手みたいな連中がいくようなモーテルになぜいったのか、だれにもわからないの。それでドクター・ラニエがあなたの協力を求めたわけね。でもすくなくともわたしはほっとしているし、ありがたく思ってもいるわ。あなたがアルバートの隣にすわって、あの子を車で送ってくれることは、あらかじめ計画されていたとだけいっておくわ。それであなたはここへきた」ミセス・ギドンはティーカップを手にとった。「どんなことでも、理由なしではおこらない。ご存じのとおりよ」

「いったいどうやってこんなことを仕組んだの？」スカーペッタは追及した。うんざりしていることをあらわにして、警告するつもりだ。「連邦検事のウェルドン・ウィンもそのたくらみに加担しているわけじゃないんでしょうね。彼も隣の席だったけど」

「あなたの知らないことがいっぱいあるのよ。ミスター・ウィンは家族ぐるみの親しい友人なの」

「いったいどういう家族なの？　父親は空港にも姿を見せないし。アルバートはお父さんがどこにいるのかも知らないみたいじゃない。小さい子にひとりで旅行なんかさせて、何かあったらどうするつもりだったの？」

「ひとりじゃなかったわ。あなたといっしょだったもの。それでいまあなたはここにいる。お会いしたかったの。完璧だわ」

「家族ぐるみの友人？」スカーペッタは彼女のことばをくりかえした。「じゃ、どうしてアルバートはウェルドン・ウィンを知らないの？　家族ぐるみで親しいなら、知っているはずでしょう？」

「アルバートは彼に会ったことがないの」

「そんなばかな話はないでしょう」

「あなたにそういわれるすじあいはないわ」

「いいたいことはいわせてもらうわ。あなたはわたしにアルバートをまかせたようだし、赤の他人のわたしが彼を無事につれて帰るものと安心しきっていたのだから。わたしがあの子の面倒をみるかどうか、そもそもわたしが信頼できる人間かどうか、わからないじゃない」スカーペッタは椅子をうしろにひいて立ちあがった。パイン材の床に椅子がこすれて大きな音をたてる。「あの子は母親をなくしている。父親は何をしているのかわからない。犬もいなくなってしまった。そして今度はほうっておかれてこわい思いをさせられる。わたしの関係している世界では、これは育児放棄とか、児童虐待と呼ばれるのよ」もう怒りをおさえられない。

「わたしはシャーロットの姉よ」ミセス・ギドンも立ちあがった。

「あなたがやったのはわたしをあやつることだけ。というか、あやつろうとしただけ。もう失礼するわ」

「その前にこの家を案内させてちょうだい。とくにル・カーブ《ワインセラー》を見ていただきたいわ」

「この地域は地下水の水位が高くて、大農園《プランテーション》のやしきもパイルを打ちこんで建てなきゃならないというのに、どうしてワインセラーがあるの?」

「あら、いつも観察が鋭いってわけじゃないのね。この家は小高いところにあるの。建ったのは一七九三年。最初のもちぬしは、自分の理想の家を建てるのにここがぴったりだと思ったのね。フランス人のワイン通で、よくフランスへ帰っていたらしいわ。それで奴隷にワインセラーをつくらせたのね。フランスにあるのと同じようなのを。国内ではこんなワインセラーはほかにないと思うわ」ミセス・ギドンは外へでるドアのところへいって、それをあけた。「ぜひ見ていらして。バトンルージュのとっておきの秘密なの」

スカーペッタはその場を動かずにいった。「いやよ」

ミセス・ギドンは声をひそめ、おだやかともいえる口調で説明しはじめた。「アルバートのことはあなたの思いちがいよ。わたしは空港のまわりを車でまわっていたの。あなたとアルバートが歩道に立っているのが見えたわ。もしあなたがいってしまったら、あの子を拾うつもりだったの。でもわたしのきいたところでは、あなたはぜったいそんなことはしない。とても思いやりのある親切な人だから。そしてこの世の悪に神経をとがらせている」感情をこめず、事実として淡々という。

「空港のまわりをまわっていたなんて、うそでしょう？　あなたの家に電話したら……」

「携帯電話に転送されるようにしてあったの。あなたが電話するのを見ていたんだから」おかしそうにいう。「あなたたちより十五分だけ早くここに着いたのよ、ドクター・スカーペッタ。腹がたったり、わけがわからないと思うのも無理ないわ。でもジェイソンがいないときにお話ししたかったの。アルバートの父親ね。彼がいなくてほんとに運がよかったのよ」

彼女は大きくあけたキッチンのドアをおさえている。しばらくためらってからことばをつづけた。「彼がいるとプライバシーってものがまるでなくなってしまうの。いらっしゃい」と、手招きする。

スカーペッタはドアのそばのキーパッドに目をやった。外を見ると、若葉のしげった木々が黒いカーテンのように影を落としている。欠けた月の下で、森が湿った土のにおいをはなっている。

「じゃ、ここからでればいいわ。すぐわきが車道だから。でもぜひまたいらしてね、ワインセラーを見に」

「玄関から帰るわ」スカーペッタはそういって玄関のほうへ歩きだした。

110

ベントンはしばらく車であたりを走りまわってから、トニー・ウィルソンという偽名でホテルにチェックインした。

スイートルームにはいり、ドアをロックし、さらに錠前をおろし、チェーンをかけて、ベッドに腰をおろした。電話はとりつがないようたのんである。フロント係は万事承知しているという様子だった。ロサンゼルスからきた金持ちが、プライバシーを求めていると思ったようだ。ここはバトンルージュでもいちばんいいホテルだ。駐車係に車をまかせず、ひそかに出入りする客も多い。従業員は各地からおとずれるそうした客の扱いになれている。彼らは干渉されるのをいやがり、長く泊まることはめったにない。

ベントンはノートパソコンを部屋のモデム回線に接続した。新しく買った黒いブリーフケースの鍵の暗証番号をいれる。ブリーフケースは家具にこすりつけたり床をひきずったりして、わざとすり傷をつけてある。くるぶしのホルスターをはずして、三五七マグナム弾を撃てるスミス&ウエッソン三四〇PDをベッドのうえにおいた。ダブルアクション・オンリーのリボルバーで、スピアー社製の重さ百二十五グレインのゴールド・ドット弾が五発装塡《そうてん》してある。

ブリーフケースからもピストルを二挺とりだした。一挺はポケットにおさまる四〇口径のグロック二七。薬室もふくめると十発装塡可能だ。弾薬はハイドラショック弾。弾丸重量は百三十五グレイン。弾頭を被甲して刻み目を入れ、中央にピンを立てたホローポイント弾。弾速は三百五十七メートル毎秒。高エネルギーだから、十分なストッピング・パワーがある。被弾すると体内で先端が鋭い花のように広がる。

もう一挺は彼がもっともたよりにしているピストルだ。九ミリ口径のシグ・ザウエルP二二六で、薬室もふくめると十六発装塡可能だ。弾薬はやはりハイドラショック弾。こちらは、弾丸重量百二十四グレイン。同じく弾頭を被甲して刻み目を入れ、中央にピンを立てたホローポイント弾。弾速は三百三十六メートル毎秒。被弾すると体内に深くめり込み、ストッピング・パワーが高い。

これら三種の銃を同時に身につけることも可能だ。前にそうしたこともある。スミス&ウエッソンの三五七マグナムをアンクルホルスターに、四〇口径のグロックをショルダーホルスターにおさめ、九ミリ口径のシグ・ザウエルは腰のベルトにさした。

ピストル用の予備の弾倉と三五七マグナムの予備の弾薬は、デザイナーズブランドの革のウエストポーチにいれてある。ベントンはロンドンフォッグ製のゆったりしたジャケットに、やや長めのだぶだぶのジーンズをはき、野球帽をかぶった。色つきめがねをかけ、プラダのラバーソールの靴をはく。旅行者のようにも見える。バトンルージュで活動しても、人の出入りのはげしいこの街で人目をひくことはないだろう。何百人という大学教授——なかには変わり者もいる——や、何千人もの気楽な学生、研究に没頭しているさまざまな年代や国籍の客員研究者であふれている街だ。ベントンはゲイにも見えるし、そうでないようにも見える。両刀使いといってもとおるだろう。

111

翌朝、スカーペッタはにごった川の緩慢な流れを目で追っていた。川船のカジノにつづいて米国戦艦キッド号、そして遠方にオールド・ミシシッピ橋が見える。それからドクター・ラニエに視線をもどした。

前夜、ようやく彼の家にたどりつくと、ラニエは妻をおこしたくないからといって母屋はとおらず、家の裏手にあるゲストハウスに直接案内してくれた。そのとき数分いっしょにいただけで彼に好感を抱いたが、それはかえってまずいのではないかという気もした。

「シャーロット・ダードの事件では、あなたや検視官事務所は彼女の家族とどの程度かかわったのかしら？　つまり相談にのったり、質問したりしたの？」と、スカーペッタはきいた。

「思うようにはできなかったね。努力はしたんだが」ラニエの目がくもり、口元がひきしまる。「お姉さんのミセス・ギドンとは話をした。ごく短い時間だが。変わった人でね。それはともかく、このあたりのことについてすこし説明しよう」

彼は何かにおびえてでもいるように、急に話題を変えた。だれかにきかれることをおそれているかのようだ。ラニエは椅子をくるりとまわし、西の方角を指さした。

「オールド・ミシシッピ橋ではしょっちゅう身投げがある。川のなかから何度遺体をひきあげたことか。気の毒なだれかがとびこむんだ。とびこむまでに時間がかかる。警察は思いとどまるように説得するが、とおりかかった車の連中はわめきだす。『はやくとびこんでしまえ！』ってね。渋滞するからだ。信じられるかね？　このまっすぐ先では、シャワーカーテンをまとって突撃銃のＡＫ47をもった男が、戦艦キッドにのりこもうとしたことがある。ロシア人を皆殺しにするといって。つかまったけどね」彼はおどけてつけ加えた。「死んだやつも頭のおかしいやつも同じ管轄でね。後始末はすべてこっちの仕事だ。年に三千件ぐらい扱っている」

「それはどんなしくみなの、具体的には。家族が保護拘置命令を請求するの？」

「たいていはそうだが、警察も請求できる。ある人間に重大な障害があって自分や他人に危害を加えかねないが、本人には治療を受ける意志や能力がない、と検視官――つまり、わたしのことだが――が判断すると、保安官代理がさしむけられる」

「検視官は選挙で選ばれる。各方面といい関係を保っておけば、選挙のときに役立つわけね。市長に警察に保安官、ルイジアナ州立大学にサザン大学、地区検事に判事、連邦検事。地元の有力者はいうまでもない」スカーペッタはことばを切った。「権力のある人間は、一般市民がだれに投票するかを左右しうる。だから警察がだれかを精神病院に隔離すべきだと勧告したら、その地域の検視官は同意するでしょうね。わたしにいわせれば、それは利害の抵触《ていしょく》にあたる。公平な判断ができなくなるもの」

「もっとひどいこともある。公判に耐える能力があるかどうかも検視官がきめるんだ」

「それじゃ、あなたは殺人事件の被害者の検屍を監督して、死の原因と様態を特定して、それでもし容疑者がつかまったら、その人間が公判に耐えうるかどうかも決定するわけね」

「そう。検査室でDNAのサンプルをつくるとする。そのあと今度はこのオフィスで本人に会う。警官にはさまれ、弁護士につきそわれた彼、または彼女と面談するんだ」

「ドクター・ラニエ、この地域の検視官制度はまったくもっておかしいわ。ほかではきいたことがない。それに、あなたが思いどおりにならないと当局が判断したとき、あなたには身を守るすべがないように思えるけど」

「これぞルイジアナだな。当局が仕事のことで指図しようとしたら、ふざけんなといってやるよ」

「犯罪発生率は？　高いことは知っているけど」

「高いなんてもんじゃない。ひどいものだ。殺人事件の検挙率の低さでも、バトンルージュは全米でぬきんでている」

「なぜかしら？」

「はっきりしているのは、バトンルージュが暴力に満ちた街であること。理由はよくわからないが」

「それで、警察は？」

「わたしは街の警官には敬意をはらっている。ほとんどの連中はいっしょうけんめいやっている。だがその一方で、責任ある立場にいるやつらが、まじめな人間をだまらせて、ろくでもないやつをとりたてている。政治だよ」ラニエは椅子をきしませてその背にもたれた。

「いまは連続殺人犯が野放しになっている。この数十年のあいだに、おそらくそういうやつが何人かいただろう」ラニエは肩をすくめた。その様子は気楽にかまえている感じでも、あきらめている風でもない。「政治だよ。まったく、何度同じことをいわなきゃならないんだ」

「組織犯罪は？」

「ここには全米で第五位の港と第二位の石油化学産業がある。おまけにルイジアナは国産原油の約一六パーセントを産出している。さあ、いこう」ラニエはデスクから立ちあがった。

「お昼にしよう。食事はちゃんとしないとね。あなたはこのところろくに食事をしていないんじゃないかな。ずいぶん疲れているようだし、スーツのウエストがゆるくなっているよ」

スカーペッタはいまやこの黒いスーツにがまんできなくなっているが、それを彼にいうのははばかられた。

ラニエのオフィスからふたりがでていくと、事務員が三人顔をあげた。

「もどっていらっしゃるの？」白髪まじりの太った女性が、ラニエにたずねた。ひややかでとげのある声だ。

ドクター・ラニエがこぼしていた事務員はこの人だろうと察しがついた。

「さあね」ラニエの答えはそっけない。法廷で証言する専門家証人のような、感情のこもらない声だ。

ラニエがその女性をきらっているのがわかる。ふたりのあいだには長年にわたる確執があるらしい。廊下へ通じるドアが開き、背の高いハンサムな男性がはいってくると、ラニエはほっとした様子を見せた。男性は紺の作業ズボンに検視官事務所のロゴがはいったダークブルーのジャケットを着ている。生気にあふれており、あたりにエネルギーをふりまいているかのようだ。太った事務員の目は、怒った黒いスズメバチのように彼の顔にとまっている。

その男性は変死捜査主任のエリック・マーフィーだった。彼は「リ、ュ、イ、ジ、ア、ナ、へようこそ」と、スカーペッタにあいさつした。そして「昼飯はどこにいくんですか？」とたずねた。

「何があろうと食事だけはしなきゃな」ドクター・ラニエがエレベーターの前でいった。「何がなんでもね。これからいくのはそれにぴったりの場所だ。ところで、前にもいったように、どうしてもあれをくびにできないんだ」

彼はうわのそらで駐車場へおりるボタンをおした。

「わたしより長くここに勤めているんだからね。検視官に代々ひきつがれてきた汚水だめみたいなものだ」

エレベーターの扉が開くと、そこは広々した駐車場だった。昼食にでかける人たちが車のドアをしめるくぐもった音が、あちこちからきこえてくる。ドクター・ラニエは黒いシボレー・カプリスにリモコンのキーを向けた。彼がユニットと呼ぶこの車は、ダッシュボードに青い信号灯がついているほか、送受信可能な無線と警察無線がそなえてあり、「猛スピードのカーチェイスにはぜったいこれが必要」と彼が自慢する特別仕様のV8ターボエンジンを搭載している。スカーペッタは自分で後部のドアをあけて、シートにすべりこんだ。

「後ろにすわっちゃだめですよ。「そりゃまずいや」エリックが助手席のドアをあけて抗議した。「お客さんなんですからね、先生」

「あら、先生はやめてちょうだい。ケイって呼んで。わたしのほうが脚が短いんだから、後ろにすわらせてもらうわ」

「ぼくのことは何と呼んでもらってもけっこう」エリックがほがらかにいった。「みんなそうしてますから」

「わたしもこれからはサムと呼んでもらおう。ドクターなんてつけなくてもいい」

「ぼくもドクターなんてつけないでくださいよ」と、エリックがいう。「だってドクターじゃないんだから」

彼も車にのりこんだ。スカーペッタに席を指示するのはあきらめたようだ。

「何いってるんだ。ドクターだったころもあるだろ。いくつのときだ、え？」ドクター・ラニエがエンジンをかける。「十か十二か？　近所の女の子を集めてやってただろう？　くそ、コンクリの柱のあいだにとめるのは好かんな」

「柱のほうから近づいてくるんだよね、サム」エリックはふりむいてスカーペッタに向かってウィンクした。「彼の車、しょっちゅう柱につかまるんです。あれ見てくださいよ」えぐれて黒いペンキのすじのついた支柱を指さす。「あの犯行現場の捜査を担当しているとしたら、どういう結論をくだします？」そうきいて、デンティーンのチューインガムのセロハンをむいた。「ヒントをあげましょう。あそこは検視官の駐車スペースだったんです。ところが最近その検視官が――どの検視官かあててみて、といってもひとりしかいないけど――文句をいいだした。あそこはせますぎる、もうあんなところにとめるもんか、とね」

「おい、わたしの秘密をばらすんじゃない」ラニエは駐車スペースからゆっくり車をだした。「それに、あれをやったのは女房なんだ。はっきりいって、あいつはわたしよりもっと運転がへただからね」

「奥さんも変死捜査官なんですよ」エリックがまたふりむく。「無給のね。ぼくらも似たようなものだけど」

「何いってるんだ」ラニエは高速カーチェイス用ユニットのアクセルをふんだ。駐車場のなかとしてはスピードのだしすぎだ。「おまえは仕事のわりにもらいすぎだよ」

「さて、いま話をしてもいいかしら？」スカーペッタがきいた。

「もちろん。わたしのオフィスにはだれかがこっそりはいりこむこともあるかもしれない。でもこの車や、わたしのハーレーにはだれも手をふれないから」

　スカーペッタはしっかりした落ち着いた口調できりだした。「ここへくるときの飛行機で、わたしの両隣にすわっていたのがダード家の男の子と、ルイジアナの連邦検事、ウェルドン・ウィンだったの。おまけにアルバート・ダードを家まで送るはめになったんだけど。これがどういうことなのか教えてくださる？」

「こわいね。ぞっとするよ」

「その子はマイアミにいたんだけど、昨日の朝、急に空港へつれていかれて、ヒューストン経由で家へ向かった。それでたまたまバトンルージュ行きの同じ便にのりあわせたってわけ。その便にウィンがたまたまのりあわせたのと同じようにね。ところで、あなたはあまりこわがりには見えないけど」

「いいたいことがふたつある。ひとつめ。あなたはわたしのことを知らない。ふたつめ。あなたはこの土地のことを知らない」

「八年前、例のモーテルの部屋で母親が死んだとき、アルバートはどこにいたの？　父親はどこにいたの？　その得体のしれない父親は、『いつもいない』とあの子はいうけど、その理由は？」

「それはわからない。でもアルバートのことはよく知ってるよ。去年、ER《救急治療室》であの子の治療をした。それで、この子には注意をはらう必要があるなと思いはじめた。家族が金持ちで、母親が不審な死にかたをしているしね。結局アルバートはニューオーリンズにある私立の精神病院にいれられた」

「いったいどうして？　それにひとりで旅行させるなんて」

「でもいまの話じゃ、ひとりではなかったようじゃないか。だれかが航空会社の乗務員にひきわたした。むろんヒューストンでもだれかが乗り換えゲートまでついていったんだろう。その後はあなたが面倒をみたわけだから、万全だ。それにあの子は精神病ではない。こういうことなんだ。去年の十月の一件がおこる三年前に、あの子のおばさんが九一一番に電話して、おいが自転車にのっているところをだれかにおそわれて、ひどく出血しているといったらしい。当時アルバートは七つだったと思う。おびえきって、ヒステリックになっていたそうだ。ところが、あのかわいそうな子は実はおそわれたわけではなかったんだよ、ケイ。そう呼んでもかまわないんだね。そういう事実はなかった。あの子が自分でやったというのが真相だ。自傷行為だな。どうやらまたそれをやるようになったらしい。それでERにかつぎこまれてわたしが診《み》るはめになったんだ。なんともつらい経験だったよ」

スカーペッタはダード家のキッチンに刃物がまったくなかったことを思いだした。

「彼の傷が自分でつけたものであると断言できる？」

「どんなことについても、断言するのは避けたいと思っている。ぜったいに確かなものは死だけじゃないかな。でもためらい傷がいっぱいあったからね。まあほんのひっかき傷だが。不幸にもこうした形で自己破壊をこころみるようになった人間に見られる特徴だ。傷はそれほど深くはない。どれも自分の手は届いても人の目にはふれないところばかりだ。腹やも、尻」

「それで飛行機で隣にすわっていても、傷あとが見えなかったのね。そうでなければ気づいたはずですもの」

「いちばん気にかかる点はいうまでもない。あなたがバトンルージュへくることを望んだやつがいる。なぜだろう？」

「教えてちょうだい。わたしの旅行のスケジュールをだれがもらしたのかも知りたいわ。いちばん有力な容疑者はあなたよ。あるいはあなたのオフィスでわたしがくることを知っていた人ね」

「そう考えるのも無理はない。たしかにそのとおりだ。わたしはこのふざけたシナリオを段取りできる立場にいた。ただしウェルドン・ウィンと親しければの話だ。実際は親しいどころか、あのろくでなしにはがまんならない。ごみ捨て場より汚いやつで、金をたんまりもっている。家が裕福だったからと自分ではいってるがね。とんでもない。やつはサウスカロライナのマートルビーチの出身でね。父親はゴルフ場のマネージャーで、母親は看護助手としてあくせく働いていた。資産家の息子なんてうそっぱちだ」

「どうしてそんなことを知っているの?」

「エリックにきいてごらん」

変死捜査官はふりむいてにやにやした。「昔FBIにいたのでね。いまでもその気になればいろいろ調べられるんです」

「問題はウェルドン・ウィンが不法行為に加担していることだ。それもそうとう深入りしている」ラニエは話をつづけた。「しかしそれをどうやって証明するか、そもそもそれを気にするやつがいるかどうかは、またべつの問題だ。ともかくここ数年のあいだにこの地域で逮捕されたもののなかには、なぜかプロジェクト・エグザイルの適用をまぬがれたやつがたくさんいる。犯罪をおかしたときに銃を所持していると、連邦刑務所に服役する年数が自動的に五年加算されるはずだ。ところがその法令を適用されていない。われらが連邦検事がなぜか見逃してやっているんだ。追跡調査するはずの委員会も同じだ。このうるわしい街でわたしがなにかと苦労するのは、ひとつには政治家にへつらわないからだ。来年再選をめざしたいところだが、わたしを検視官の座からおろしたいと思っている連中が山ほどいてね。わたしは腹黒いやつらにうとまれている。そういう人間とはつきあわないしね。彼らにきらわれるのは、自分にとって勲章だと思っている」

「あなたと電話で話したわね。それにあなたのオフィスにレンタカーの手配をしてもらったし」

「あれはまちがいだった。まったくばかなことをしてしまった。自分で手配すべきだった。オフィスとはべつのところでね。秘書は信用できるんだが。さっきのあの事務員が盗み聞きしたか、かぎまわったのかもしれない。はっきりわからないが」

車はバトンルージュのなかでも、あまりぱっとしない地区を走っていた。町の中心をなす大学のはずれあたりだ。三番ストリートにあるスワンプ・ママズは、学生に人気のある店だ。ドクター・ラニエは駐車禁止区域に車をとめた。そして昼食の場が突然犯行現場に変わったかのように、「検視官事務所公用」という赤い金属プレートを、ダッシュボードにおいた。

112

マリーノはルイジアナ・エアの駐車場にはいり、ルーシーのSUV車に近づいて、警官風にお互いの運転席の窓が接するように車をとめた。

「上出来じゃない。あのトラックはどっかにおいてきたのね」ルーシーはあいさつぬきではめた。「バージニアのナンバープレートをつけた、ばかでかいトラックで走りまわるのはまずいものね」

「おれだってばかじゃねえからな。こいつはひでえ代物だけどよ」

彼がのっているレンタカーのトラックは六気筒のトヨタだ。泥よけもついていない。

「あれはどこにおいてきたの?」

「定期便の空港の、契約駐車場だ。荒らされねえといいが。全財産を積んでるんだから。たいしたもんじゃねえけど」

「じゃ、いきましょう」

ふたりははなれたところに駐車した。

「ボーイフレンドはどうした?」飛行場のオフィスへ向かいながらマリーノがたずねた。

「町をうろついてるわ。スパニッシュ・タウンでロッコの家を見つけようとして。史跡がたくさんある地区ね。ロッコはそこに家をもっていたというんだけど」

ルーシーはカウンターに立ち寄った。「ベルの四、〇、七」と告げる。テールナンバーはいわない。

いう必要はない。いま滑走路にあるヘリコプターは彼女のものだけだ。カウンターの女性がボタンをおして、ドアのロックをあけた。ガルフストリームが一機、エンジンを始動している。耳をつんざくような轟音《ごうおん》がひびきわたり、ルーシーとマリーノは耳をおおった。機体のうしろにまわらないよう気をつけて歩く。排気ガスの噴射をあびないためだ。そんなものをあびたらジェット燃料のにおいが体にしみついて、せまいコックピットのなかで頭が痛くなる。ふたりはヘリポートへ急いだ。ヘリポートは通常の航空機から遠くはなれた、滑走路のはしにある。ローターのおこす風で石や砂がまいあがり、それが固定翼の航空機にあたって塗料がはげるのではないかと、ヘリコプターに関する知識のない人間が心配したのだろう。

ヘリコプターのことを何も知らないマリーノは、この乗り物が大きらいだ。彼は苦労して大きな体を助手席におしこんだ。座席は調節がきかない。うしろへスライドさせることができないのだ。

「このくそったれめが」彼はひとことといって、シートベルトをゆるめられるだけゆるめた。

ルーシーはすでに通常の飛行前点検をすませていたが、最後にもう一度ブレーカーとスイッチ類とスロットルをチェックし、バッテリーのスイッチをいれた。自動検査がおこなわれているあいだ、自分でもひととおり点検して、発電機のスイッチをいれる。ヘッドホンをつけ、スロットルをゆるめて回転数を百ｒｐｍまであげる。今回のフライトではＧＰＳなどの航行機器は使えない。航空図もあまり役にたたない。そこでバトンルージュの地図をひざの上に広げ、フーパー・ロード、つまり四〇八号線を、南東の方向へ指でなぞった。

「あたしたちがいくところは地図にのってないの」と、マイクに向かっていう。「モーリパス湖ね。ニューオーリンズへ向かってこの方向へ飛べばいいはず。ポンチャトレーン湖までいっちゃうとだめなのよね。そこまでいくと、モーリパス湖もブラインド川もダッチ・バイユーもとおりこしちゃうことになる。そんなことにはならないと思うけど」

「とにかくはやく飛んでくれよ。ヘリコプターは大きらいなんだ。あんたのもな」

「いくわよ」ルーシーはそういって、空中で機体を安定させた。やがてヘリは風にのってまいあがった。

113

スワンプ・ママズはビールのにおいのするバーだ。ニスをぬっていないしみだらけの床に、ビニール張りの古びたボックス席がならんでいる。ルイジアナ州立大学の学生ウエイターがのみもののオーダーをとっているあいだに、エリックとドクター・ラニエはトイレに姿を消した。

ドアを押してトイレにはいると、エリックがいった。「あの人を家につれていきたいんだけど。今夜あたりどうかな?」

「彼女はおまえなんかに興味ないよ」ラニエの話しかたは語尾があがるので、質問しているわけではないのに質問調になる。「やめとけ」

「独身だからいいじゃないですか」

「うちのコンサルタントに手をだすな。とくに彼女には。丸ごと食われちまうぞ」

「ああ、どうかそうなりますように」

「おまえはガールフレンドにふられるたびにおかしくなるな」

ふたりは便器に向かいながら軽口をたたいている。彼らが安心してドアに背を向けていられる唯一の場所だ。

「彼女をどう表現すればいいか考えてるんだ」と、エリックがいった。「あなたの奥さんみたいにかわいい感じではない。もっとしっかりした顔つきだ。スーツとか制服の下に魅力的な肉体が隠れてるってのは、実にセクシーだよな」

「おまえいかれてるな。くそにとまるハエなみだ。彼女の体のまわりをぶんぶん飛びまわるんじゃないぞ」

「あの小さめのめがねもいいな。だれかつきあってる人はいるのかな。あんなスーツを着てても、大事なところは隠せないよね。気がつきました？」

「そんなこと気がつくもんか」ドクター・ラニエはこれから心臓移植手術でもするかのように、洗面台でごしごし手を洗った。「目が見えないもんでね。ちゃんと手を洗えよ」

エリックは笑いながら洗面台に向かい、勢いよく湯をだして、ピンクの液体せっけんをてのひらに受けた。「冗談でなく、彼女をデートに誘っちゃいけないかな、ボス？　なんかまずいことありますか？」

「彼女の姪にしたほうがいいかもしれないぞ。年も近いし。すごい美人でめちゃめちゃ頭がいい。おまえの手にはあまるかもしれないな。それに男といっしょだし。もっとも同じ部屋には寝ていなかったけど」

「いつ会えます？　今晩？　食事はあなたが用意するんですか？　ブーティンズにでもいきましょうか？」

「おまえ、いったいどうしたんだ?」

「ゆうべ、カキを食ったんですよ」

ドクター・ラニエは壁の金属製の容器からペーパータオルをとった。エリックの洗面台のはしにも何枚かおいてやる。トイレをでながら、スカーペッタをじっくりながめた。彼女はあらゆる点でふつうとちがう。コーヒーに手をのばすしぐささえ特別だ。ゆっくりと落ち着いており、自信と力強さが感じられる。それはコーヒーをのむという当面の行為とは関係ないものだ。彼女は手帳にしるしたメモに目をとおしている。黒い革のカバーがついた手帳は、必要に応じて紙を補充できるタイプのものだ。おそらくしょっちゅう補充しているのだろう。大切かもしれないと思ったことや会話は、すべて書きとめておくたちのように思える。几帳面なのは訓練によるものだけではない。ラニエは彼女の隣にすわった。

「ガンボがいけるよ」そういったとき、彼の携帯電話がかぼそい電子音でベートーベンの「第五」をかなでた。

「着メロ、何かほかの曲にしてほしいな」エリックがいう。

「もしもし、ラニエだが」一分ほど相手の話をきいていた。そのあいだまゆをひそめ、エリックの顔を見つめている。「わかった。すぐいく」

ラニエはボックス席から立ちあがり、ナプキンをテーブルのうえにおいた。

「いこう。殺しだ。そうとうひどいようだ」

バトンルージュの飛行場からモーリパス湖までのあいだの土地には、沼や水路や小川がつづいている。それを見るとルーシーは落ち着かない気分になった。

ポップアップ・フロートがついているとはいえ、緊急着陸せざるをえなくなったときのことが心配だ。はたして救助がえられるのかどうかわからないし、あの黒々した水やぬかるんだ岸辺、樹上着生植物におおわれた樹木のかげにひそむ爬虫類のことは想像したくない。荷物入れに常備してある緊急用キットには、手持ち式無線機に飲料水、プロテインバー、防虫スプレーがはいっている。

カモ猟でハンターが身を隠すための遮蔽物《しゃへいぶつ》や、釣り用の小屋が、生い茂る木々のあいだに見え隠れしている。ヘリコプターの高度をさげてゆっくり飛んでみたが、人がいる気配はない。プロペラ船のようなごく小さなボートでなければはいれないような、細い水路もある。上空からは、丈の高い草のあいだを網目状に走る静脈のように見える。

「ワニが見える？」ルーシーはマリーノにきいた。

「ワニなんかさがしてねえよ。それに下には何もねえぞ」

小川が川に流れこみ、地平線上にかすかに青い線が見えてくるとともに、ヘリは都会に近づいてきた。すこし曇ったおだやかな天気で、水のうえですごすには最適だ。このあたりには船がたくさんでており、釣り人や遊覧船の客がヘリを見上げる。ルーシーはあまり低空を飛ばないよう気をつけた。偵察飛行をしているように見えるのはまずい。機体を東へ向けて傾け、ブラインド川をさがしはじめる。マリーノにもそうするようにいった。

「なんでブラインド川っていうと思う？　見えねえからだよ」

さらに東へすすむにつれ、釣り用の小屋がふえてくる。ほとんどは手入れがゆきとどいており、正面にボートがつないである。細い水路を見つけてヘリの向きを変え、入り組んだ流れにそって南へ向かった。流れはしだいに幅が広くなり、川となって湖に流れこんでいた。その川から枝分かれした水路が無数にある。高度をさげて旋回したが、そこまでいくと釣り小屋はひとつも見えない。

「腕を鉤につけて餌にしたのがタリーなら、このあたりにひそんでいるって気がするんだけど」

「もしそうなら、こうやってぐるぐるまわってたら、やつに見られちまうぞ」

ふたりはあたりに目をくばりながらひきかえしはじめた。今度は主にアンテナに注意し、石油化学プラントの上空を飛んでつかまったりしないよう気をつけた。あざやかなオレンジ色をしたドーフィンのヘリコプターを何機か目にしている。沿岸警備隊が飛ばすタイプのものだ。沿岸警備隊はいまや国土安全保障省の一部になっており、たえずテロを警戒している。したがって最近は石油化学プラントのうえを飛ぶのはあまり賢明ではない。三百メートルもの高さのアンテナにつっこむのはもっとまずい。ルーシーは飛行速度を九十ノットに落とした。飛行場へ急いで帰る必要はない。彼女はいまこそマリーノに真実を告げるべきかどうか迷っていた。

空中で障害物に接近しないよう気をくばっていれば、マリーノのほうを見ることはできない。胃がぎゅっとちぢまり、脈がはやくなった。

「どういえばいいかわからないんだけど」と、切りだした。

「いわなくてもいい。もう知ってるよ」

「どうして?」ルーシーはとまどい、不安にかられた。

「おれは刑事だぞ、忘れたか?　シャンドンは手紙を二通よこした。一通はあんた、もう一通はおれあてで、どっちも全米司法アカデミーの封筒にはいってた。あんたは自分あての分を見せなかった。頭のおかしなやつのたわごとだといってたよな。強引に見せろということもできた。けど、なぜかそうしないほうがいいような気がした。で、気がつくとあんたは姿を消していた。ルーディといっしょにな。それで二、三日したら、ロッコが死んだことがわかった。赤手配書でロッコが身動きできねえようにするには、情報が必要だ。あいつの居場所やなんかの情報は、シャンドンから手にいれたのか?　おれが知りてえのはそれだけだ」

「そうよ。あなたに手紙を見せなかったのは、ポーランドへいくっていいだすんじゃないかと思ったから」

「いってどうするんだ?」

「きまってるじゃない。ホテルの部屋でロッコと対面して、その正体をじかに見たら、どうしたと思う?」

「たぶんあんたやルーディと同じことをしただろう」

「くわしく話しましょうか?」

「ききたかねえよ」

「やっぱりあなたにはできなかったかもしれないわね、マリーノ。あなたがやらなくてよかった。息子なんだもの。どこか心の奥のほうでは、彼を愛してたはずよ」

「あいつが死んじまったことよりもっとつらいのはな、やつを愛したことなんかなかったことだ」

115

最初の血痕は玄関のドアから一メートルほどはいったところにあった。十セント玉ほどの円形のしずくがひとつだけ。ふちがギザギザで丸のこの刃のようだ。

角度は九十度だ、とスカーペッタは思った。血のしずくは空中を飛んでいるあいだ、ほぼ完全な球形をしており、九十度の角度でまっすぐ落ちるとそのまま円形の血痕になる。

「彼女、というか、だれかが立っていたのね」

スカーペッタはじっと動かず、テラコッタのタイル張りの床に点々とついた血痕を目で追っている。カウチの前の敷物のはしが血で汚れている。だれかが血のついたタイルで足をすべらせ、敷物のその部分を踏んだかのようだ。もっとよく調べようとそこに近づき、どす黒いかわいた血のしみを見つめた。ふりむくとドクター・ラニエと目があった。彼もそばへきたので、かすかに残っている足跡を見せた。かかとの部分だけで、靴底の小さな波状のもようが見える。子供が描いた波の絵のようだ。

エリックが現場写真をとりはじめた。

もみあったあとがカウチからコーヒーテーブルのあたりまでつづいている。ガラスと錬鉄でできたコーヒーテーブルは斜めになり、そのしたの敷物はくしゃくしゃになっている。そのすぐ先の壁に、頭がたたきつけられたあとがあった。

「血まみれの髪がこすったあとね」スカーペッタは淡いピンクの壁についたかすれたような血痕を指さした。

玄関のドアが開き、私服の警官がはいってきた。まだ若いが、黒い髪のはえぎわは後退している。彼はドクター・ラニエとエリックに交互に視線をやったあと、スカーペッタに目をとめた。

「どなたですか?」

「きみがだれかをまずきこうじゃないか」ドクター・ラニエが答えた。

警官の態度が威嚇《いかく》的に見えるのは、気が動転しているからだろう。彼はそこからは見えない家の奥へ目をやった。「ザカリー署の刑事のクラークです」そういって、ハエを叩いた。大きな手にはめたラテックスの手袋がのびきって、指にはえた黒い毛がすけて見える。「先月捜査課に異動になったばかりなので、この方がだれか知らないんです」またスカーペッタのほうをあごでさし示す。彼女はあいかわらず壁のそばにいる。

「うちにきてもらっているコンサルタントだ」と、ドクター・ラニエはいった。「彼女のことをきいたことがなくても、いずれきくことになるだろうよ。さあ、何がおきたのか話してもらおう。遺体はどこだ? だれがついているんだ?」

「表側のベッドルームです。客用だったみたいです。ロビヤードがそこで写真をとったりしています」

ニック・ロビヤードの名前をきいて、スカーペッタは顔をあげた。

「それはよかったわ」

「彼女をご存じなんですか?」クラーク刑事はわけがわからない様子だ。いらだたしげにまたハエをたたく。「くそ、うるさいな」

スカーペッタは壁と床についた細かな血痕を追った。ピンの頭ほどの大きさしかないものもある。先細になった形は、血が飛んだ方向を示している。被害者は壁ぎわの床にたおれた後、なんとかまた立ちあがったようだ。小さな細長い形の血痕が壁についている。被害者が何度も打たれたり刺されたりしたとき、空《くう》を切る凶器から血が飛びちることがよくあるが、そうした場合の見慣れた血痕ではない。

居間で激しくもみあったときに飛んだもののようだ。殴ったりつかみかかったり、足がすべったり、蹴ったり、ひっかいたりといった修羅場のすえに、あたりが血だらけになったのだろう。ふりまわした凶器から血のしずくが無数に飛びちったのではない。犯人は凶器をもっていなかったのかもしれない。すくなくとも襲撃のこの段階では。最初、玄関から侵入した後、犯人はこぶしだけでおそいかかった。武器が必要になるとは思っていなかったのかもしれない。だがすぐに事態が手におえなくなった。

ドクター・ラニエが奥のほうへちらっと目をやっていった。「エリック、先にいって現場を確保しておいてくれ、すぐいくから」

「被害者についてわかっていることは何かある？」スカーペッタはクラーク刑事にきいた。

「この事件についてこれまでにわかっていることは？」

「あまりないんです」クラークはメモ帳をめくった。「名前はレベッカ・ミルトン。三十六歳の白人女性です。いまの時点でわかっているのは、彼女がこの家を借りていたこと。十二時半ごろ、ボーイフレンドが昼食に誘おうと立ち寄った。返事がないのでなかにはいると、彼女が死んでいた。そんなところです」

「ドアに鍵はかかっていなかったのか？」ドクター・ラニエがきく。

「ええ。ボーイフレンドが遺体を見つけて警察に電話してきたんです」

「それじゃ、彼は遺体を確認したわけね」スカーペッタはしゃがんだ姿勢から立ちあがった。ひざが痛む。

クラークは返事をためらっている。

「どれぐらいじっくり見たのかしら？」スカーペッタは視覚による身元の識別を信用していない。住居内で発見された被害者が、その家の住人であるときめつけることも避けるべきだ。

「さあ、よくわかりません」と、クラークが答える。「ベッドルームにはそう長い時間いなかったと思いますよ。ごらんになればわかるでしょうけど。遺体はひどい状態なので。ほんとにひどいんです。ただロビヤードも、被害者はここに住んでいたレベッカ・ミルトンだと考えているようです」

ドクター・ラニエはけげんな顔をした。「なぜロビヤードにそんなことがわかるんだ?」

「この二軒先に住んでるんです」

「だれが住んでいるんですって?」カメラでパンするように居間を見わたしながら、スカーペッタがたずねた。

「ロビヤードです。すぐそこに住んでるんです」クラーク刑事が通りを指さした。「二軒先です」

「へえ」と、ドクター・ラニエがいう。「ふしぎなこともあるもんだな。それで彼女は何か見たり、きいたりはしていないのか?」

「まっ昼間のことですからね。われわれと同じように外をまわっていました」

この家に住んでいたのは、まずまずの収入がある、高級品志向のきちんとした人だろうという印象をスカーペッタは受けた。ペルシャ絨毯は機械織りだが立派なものだし、玄関の左手には精巧なオーディオ・システムと大画面のテレビをくみこんだ、サクラ材のエンターテインメント・ユニットがある。壁にはケージャン風の楽しげな明るい絵がかかっている。原色の派手な色彩と原始的な手法で、魚や人間、川や木を描いたものだ。被害者がレベッカ・ミルトンだとすると、芸術と人生を愛する女性だったにちがいない。風変わりな額におさめられた写真には、つややかな黒髪に日焼けした肌、ほっそりした体つきのにこやかな女性がうつっている。ボートにのっているところや、べつの女性と桟橋に立っている写真もある。その女性も髪が黒く、姉妹のようによく似ている。

「彼女がひとりで住んでいたことは確かなの?」と、スカーペッタはきいた。

「おそわれたときはひとりだったようです」クラークはメモ帳を見ながら答えた。

「でもはっきりそうとはいえないんでしょう?」

クラークは肩をすくめた。「はい。いまの時点では、はっきりわかっていることはあまりありません」

「ちょっと疑問に思ったの。ふたりいっしょの写真がたくさんあるでしょう。このふたりの女性は親しい間柄だったように見える。それにそういった写真の何枚かは、この家のなかや、正面のポーチや裏庭と思われるところでとったもののようだし」スカーペッタは壁の下のほうについた、髪がこすれたあとを指さして説明した。「ここで被害者、またはだれかほかの人が倒れたのね。その人は髪が血まみれになるほど出血していたはずで……」

「そうなんです、被害者は頭部に重傷をおっています。顔がつぶれるぐらいひどい傷です」

クラークがいう。

まっすぐ奥へいくと食堂があり、アンティークの家具がおかれている。クルミ材のテーブルとそろいの椅子六脚だ。古びた食器棚のガラス戸の中には、金のふちどりのある食器が見える。開いたドアの先がキッチンだ。犯人も被害者もこちらの方向へきた形跡はない。だが居間の右手の青いカーペットをしいた廊下には、犯人が被害者を追ったあとが残っており、前庭に面したベッドルームまでつづいている。

どこもかしこも血だらけだ。ほとんどはかわいてどす黒くなっているが、カーペットのある部分は大量の血を吸って、まだしめっている。スカーペッタは廊下のつきあたりで立ちどまり、壁の羽目板についた血しぶきのあとを調べた。円形の血痕がひとつある。内側は薄赤色で、ふちは黒ずんでいる。そのまわりを飛沫《ひまつ》が囲んでいるが、そのいくつかは目に見えないほど小さい。

「被害者は刺されているのかしら?」スカーペッタはふりかえって、廊下の入り口でビデオをとっているクラークにたずねた。

すでにベッドルームにはいっていたドクター・ラニエが戸口に顔をだし、重々しい表情でスカーペッタを見た。「刺されているね」と、きびしい声でいう。「三、四十回」

「このへんの壁についているのは、血にむせてせきこんだときのあとね」スカーペッタは彼にいった。「なぜわかるかというと、ふちが黒ずんだ血痕があるでしょう。ここと、そこ、それからここにも」と、指さす。「これは血の泡なの。器官や肺に血がはいると、こうした泡をふきだすことがある。あるいは口のなかに血がたまっていただけかもしれないけど」

スカーペッタはベッドルームのドアの左はしに近づいた。そこについている血痕はわずかだ。ドアフレームに血染めの指のあとがついている。血痕がさらにカーペットからドアの内側のフローリングの床まで、点々とつづいているのを目で追う。床のうえの遺体はドクター・ラニエとエリック、ニック・ロビヤードにさえぎられて見えない。スカーペッタは部屋のなかにはいり、ドアノブなど血のついた箇所にふれずにドアをしめた。

ニックは床に正座していた。手袋をはめた両手で三五ミリカメラをもち、ひじから先をひざのうえにおいている。

スカーペッタに会えたことを喜んでいるとしても、態度にはださなかった。首すじを汗が流れ落ち、ザカリー警察のダークグリーンのポロシャツのえりもとに消えていく。ポロシャツはカーキ色のカーゴパンツにたくしこんでいる。ニックは立ちあがり、スカーペッタが遺体のそばに寄れるよう、わきへどいた。

「すごく奇妙な刺し傷があるんです」と、ニックがいう。「ここへきたとき、室温は二十一度でした」

ドクター・ラニエは細長い化学温度計を遺体のわきのしたにさしこんだ。そして遺体に身をよせ、頭からつまさきまでじっくり調べた。スカーペッタは被害者の顔を見た。居間のあちこちにおかれていた写真の女性のように思える。

だがはっきりはわからない。髪はかわいた血でごわごわになっており、顔は打撲や切り傷、骨折のためはれあがり、変形している。傷に対する組織の反応から考えて、彼女はしばらく生きていたと思われる。片方の腕をさわってみた。まるで生きているようにあたたかい。死後硬直ははじまっておらず、死斑《しはん》、つまり血液の循環がとまった後、重力によって生じる鬱血《うっけつ》もあらわれていない。

ドクター・ラニエが温度計をぬいた。「三十五度六分だ」

「死亡してからあまり時間がたっていない」と、スカーペッタはいった。「それなのに居間や廊下やこの部屋の血痕の状態からすると、おそわれたのは何時間も前のようね」

「おそらく頭のけがが致命傷になったのだろう。でも絶命するまでにしばらくかかったんだな」ドクター・ラニエが後頭部をそっとさわりながらいった。「骨が折れている。しっくいをぬった石造りの壁に後頭部をたたきつけられたら、重傷をおうことになる」

スカーペッタはまだ死因について意見をいうつもりはなかったが、被害者が頭部に重度の鈍器損傷をおっている点については異論がなかった。刺されたとき、頸動脈のような大動脈が傷ついたり切断されたりしていれば、数分で死亡していたはずだ。しかし被害者はしばらく生きていたようだから、それはありえない。動脈血が飛散したあとも見られない。十二時半にボーイフレンドに発見されたとき、彼女はまだかろうじて生きていたのかもしれない。だが救急隊が到着したときには、息絶えていた。

いまは一時半をすこしすぎたところだ。

被害者は淡いブルーのサテンのパジャマを身に着けている。パジャマの下はそのままだが、上はボタンをひきちぎってはだけてある。腹部や乳房、胸、首には刺し傷が無数にある。傷口は長さ十六ミリで、両端に厚みがあり、片方がもう一方よりすこしせまい。これらの浅い傷を見ると、彼女はふつうのナイフで刺されたのではないことがわかる。傷口のほぼ中央に、組織がつながっている部分がある。それから推測すると、使われたのは先端にすきまのようなものがある凶器か、厚さと長さがわずかにちがうふたつの刃先をもつ道具だと思われる。

「これはまた妙だな」ドクター・ラニエは遺体におおいかぶさるようにして、拡大鏡で傷を調べている。「ふつうのナイフじゃない。見たことがない種類だ。あなたはどう?」スカーペッタの顔を見る。

「わたしもないわ」

被害者はさまざまな角度から刺されている。刃をひねったために傷口がV字形やY字形になっているものもある。刺し傷の場合にはよくあることだ。大きく口を開けた傷もあれば、ボタン穴のようなスリット状のものもある。どんな傷になるかは、切り口が皮膚の弾性繊維の方向にそっているか、直交しているかによってきまる。

スカーペッタは手袋をはめた指で、そっと傷口をひらいた。傷口のほぼまんなかに皮膚の切れていない部分があるのが、やはりふしぎだ。レンズをとおして観察しながら、どんな凶器が使われたのか想像してみた。それからはだけたパジャマの前をそっとあわせ、サテン地にあいた穴と傷を重ねて、刺されたときパジャマがどうなっていたかを推測しようとした。ひきちぎられたパジャマの上は、ボタンが三つとれている。それらは床に落ちていた。ふたつのボタンは糸でぶらさがっている。

パジャマの上を、被害者が立っているときのような状態に、きちんと胸の上にのせてみた。当然ながら、パジャマの穴は刺し傷とはまったく重ならない。生地にあいた穴のほうが傷より多い。数えてみると穴は三十八、傷は二十二しかないが、それでも必要以上に刺していることはまちがいない。快楽殺人ではこのように相手を過剰に傷つけることがよくある。また加害者と被害者が知り合いである場合にも多い。

「何かわかった?」ドクター・ラニエがスカーペッタにたずねた。

彼女はまだ穴と傷を重ねる作業をつづけていたが、ある結論にたどりつこうとしていた。

「刺されたとき、パジャマの上は乳房のうえにたくしあげられていたようね。ほら、見て」スカーペッタはパジャマを胸のうえのほうに動かした。サテン地は血に染まり、もはやブルーに見える部分はほとんどない。「穴のいくつかは三枚重なった生地をつらぬいている。だから傷の数より穴のほうが多いのよ」

「すると犯人は刺す前か、刺しているあいだにパジャマをおしあげたのか? それからひきちぎって前をあけたんだな?」

「断言はできないけど」犯行がどんなふうにおこなわれたかを推測するのは、どんな場合でも簡単ではない。もっと正確なことを知るには、モルグの照明のしたで何時間も集中して調べる必要がある。「すこし遺体をもちあげて、背中を見てみましょう」

スカーペッタとドクター・ラニエは向こう側に手をのばし、遺体の左腕をもった。それをひっぱって、遺体の左半身をなかばおこす。傷口から血が流れでた。背中の上部にすくなくとも六つ刺し傷がある、首の左側には長い切り傷がある。

「そうすると、走って逃げているとき、後ろから刺されたんだな。彼女はそいつの前にいたんだ、すくなくともある時点では」と、エリックがいった。彼とニックは照明器具をもってもどってきて、それをコンセントにさしこんでいる。

「かもしれないわね」スカーペッタはそれ以上何もいわない。

「廊下の壁になすりつけたような血のあとがある。彼女はそこにおしつけられたか、たたきつけられたかしたみたい。廊下のまんなかあたりだけど。うしろから壁におしつけられて背中を刺された。それから身をふりほどいてここへ逃げこんだんじゃないかしら」と、ニックがいう。

「そうかもしれない」スカーペッタはまたいった。彼女はドクター・ラニエといっしょに遺体をそっともとの姿勢にもどした。「これだけは確かだと思う。胸とおなかの刺し傷の一部がつけられたとき、パジャマの上は乱れていた」

「パジャマの上がおしあげられていたってことは、性的な動機があったわけだな」と、エリックがいう。

「これはすさまじい怒りを抱いたものによる性的殺人よ。たとえ彼女がレイプされていなくても」と、スカーペッタは答えた。

「レイプされてはいないかもしれないな」ドクター・ラニエは遺体の上に身をかがめて、微細な証拠をピンセットで集めている。「繊維だ。パジャマのものかもしれない。一般に思われているのとはちがって、こうした事件では被害者がレイプされるとはかぎらない。こういうことをやるろくでなしのなかには、できないやつ、つまり立たないやつもいるんだ。マスターベーションのほうが好きなやつもいるし」

スカーペッタがニックにたずねた。「あなたはこの近くに住んでいるのよね。これがレベッカであることは確か？　写真にうつっているもうひとりの女性ではなくて？　ふたりはとてもよく似ているけど」

「レベッカです。もうひとりの女性は彼女のお姉さんなの」

「いっしょに住んでいたのか？」ドクター・ラニエがきく。

「いいえ。レベッカはひとり住まいだったわ」

「いまのところ、被害者の身元については保留ということだな。歯の治療記録か何かでレベッカであることが確認されるまでは」と、ドクター・ラニエがいった。エリックは現場写真をとっている。大きさの目安にするため、十五センチのプラスチックの定規を対象物の横におく。

「すぐ調べます」ニックはまばたきもせずに、殺された女性の変形した血だらけの顔を見つめている。はれあがったまぶたのあいだから、光を失った目が虚空をにらんでいる。「とくに親しくはなかったの。つきあったことはないんです。でも通りで見かけたわ。庭仕事をしているところや、犬を散歩させているところを……」

「犬がいたの?」スカーペッタはニックに鋭い視線を向けた。

「黄色いラブラドルレトリーヴァーを飼っていたんです。まだ子犬で、生まれて八ヵ月ぐらいだったかしら。はっきりわからないけど、とにかくまだ成犬ではなかったわ。クリスマスプレゼントにもらったみたい。ボーイフレンドから」

「その犬をさがさせるようクラーク刑事にいってくれ」と、ドクター・ラニエがいった。

「それからついでに、できるだけの人員を確保して、現場に人を立ち入らせないようにすることもたのんでくれ。われわれはまだしばらくここにいることになるから」

ドクター・ラニエはスカーペッタに綿棒の包みと滅菌水の小びん、それに滅菌したチューブを手わたした。スカーペッタはびんのふたをとった。綿棒を滅菌水にひたし、乳房をぬぐう。犯人の体液を採取するためだ。綿棒の先が血で赤くそまる。膣や直腸などの開口部からの採取は、遺体をモルグに運んでからでよい。つぎに微細な証拠を集めはじめた。

「わたしは外へいきます」と、ニックがいう。

「だれかもっと照明を用意してくれ」ドクター・ラニエが声をはりあげた。

「この家にあるものをもってくるしかないな」と、エリックが答える。

「それでもいい。動かす前に写真をとっておけよ、エリック。さもないとどっかのくそったれた弁護士が、犯人はベッドルームに照明器具をもちこんだといいだしかねない……」

「毛がいっぱいあるわ。犬の毛かもしれない。彼女の犬のかしら……」スカーペッタは、透明なビニールの証拠品袋のなかで軽くピンセットをふりながらいった。「さっき何ていった？　黄色いラブラドル？」

ニックはすでにいない。

「そういってた。黄色いラブラドルの子犬だと」ドクター・ラニエが答える。遺体のそばに残っているのはふたりだけだ。

「その犬はぜひ見つけなきゃ。その理由はいくつかあるわ。まずかわいそうだから。ちゃんと無事をたしかめないと」と、スカーペッタはいった。「それから毛を比較するためにも必要よ。はっきりわからないけど、かなりいろんな種類の動物の毛があるような気がする」

「わたしのほうもそうだ。血にくっついている。おもにこのあたりだ」血まみれの手袋をはめた指で、女性のはだかの上半身をさす。「手や髪にはついていない。動物の毛がもともとこの家の床やカーペットにあった場合は、手や髪につくのがふつうだが」

スカーペッタはだまっている。また一本ピンセットで毛をつまんで、袋のなかにふりおとす。もう二十本はたまっているだろう。すべて腹部のかわいた血に付着していたものだ。

外の通りで、だれかが大きな音で口笛を鳴らしはじめた。「ベイズル！　おいで、ベイズル！」と、呼ぶ声がきこえる。

玄関のドアが何度も開いてはしまり、居間や食堂を歩く足音がきこえた。警官の話し声につづいて女性の声がした。女性が泣き叫んでいる。

「うそよ！　うそ、うそ！　まさかそんなこと！」

「奥さん、この写真を見ればわかりますから」

クラーク刑事の声だ。声は大きいが、つとめて動揺を見せまいとしている。だが女性が叫ぶにつれて、彼の声もますます大きくなる。

「申しわけありませんが、ここから先ははいれません」

「わたしの妹なのよ！」

「たいへんお気の毒ですが」

「ああ、どうしよう、神さま」

やがて声はきこえなくなり、会話もかすかなざわめきに変わっていった。ハエが数匹、死のにおいにひかれたのか、家のなかにまよいこんできた。単調な羽音がスカーペッタの神経にさわる。

「ドアをあけるのをやめるようにいって！」ひざまずいたまま顔をあげた。汗が顔を流れおち、ひざがひどく痛む。

「まったく。何やってるんだろう」ドクター・ラニエもいらいらしているようだ。

「ベイズル！　おいで、ほら！」

また口笛が鳴る。

「おーい、ベイズル！　どこにいるんだ？」

また玄関のドアが開いてしまる音がした。

「もうがまんできない！」ドクター・ラニエは立ちあがった。

血まみれの手袋をぬぎすてて、ベッドルームからでていく。スカーペッタはまた一本動物の毛をつまみあげた。今度は黒い毛だ。それも証拠品袋にいれる。それらの毛は血がかわいていないとき体についたものだ。腹や乳房、胸にはついているのに、素足の裏にはついていない。足の裏には傷はないが、血のついたところをふんだために、やはりかわいた血がこびりついている。

手術用マスクをしているので吐く息が熱く、息づかいが耳にひびく。汗が目にしみた。ハエを追いはらいながら、毛がついていないかレンズで遺体の顔を調べる。かわいた血の割れ目が拡大され、いちだんとむごたらしく見える。皮膚が裂けたり切れたりしたところが、大きく口をあけている。ペンキのかけらが血についている。おそらく居間の壁のものだろう。遺体から回収した動物の毛を調べれば、重要な手がかりがえられるかもしれない。

「犬が見つかりました」ニックが戸口に立っている。

スカーペッタははっとして、拡大鏡の向こうのぞっとするようなかわいた赤い風景から、こちらの世界にひきもどされた。

「ベイズルよ。彼女の犬」

「ほとんどの毛はベイズルのものじゃないわ。いっぱいあるの。いろんな種類の、いろんな色の毛が。たぶん犬の毛だと思う。猫の毛よりずっと太くてかたいの。でも確信はないわ」

ドクター・ラニエがもどってきた。ニックのそばをとおりすぎ、ぴちっと音をたてて新しい手袋をはめる。

「どうやらこの毛は加害者に、つまり彼の服にでも付着していたもので、それが直接被害者の上半身についたようね。犯人が彼女の体におおいかぶさったのかもしれない」

スカーペッタはウエストにゴムのあとが残っているのをたしかめるため、パジャマのズボンをすこしさげた。そしてまた足をおりまげてすわってそれを見つめ、マスクをはずした。

「被害者の体におおいかぶさっておきながら、ズボンをぬがさなかったのはなぜだろう?」ドクター・ラニエが首をひねる。「犬の毛らしきものが、はだかの上半身だけにしかついていないのもふしぎだ。そもそもなぜ犯人は犬の毛をそんなにいっぱい体につけていたのだろう?」

「ベイズルが見つかりました」ニックがまたいった。「通りの向かい側の家の床下に隠れていたの。おびえてふるえていたわ。犯人が立ち去るときに、逃げだしたんでしょうね。だれが世話をすることになるのかしら？　ベイズルの」

「彼女のボーイフレンドがするだろう」と、ドクター・ラニエが答えた。「もしだめなら、エリックが犬好きだから」

ラニエはプラスチック加工された滅菌済みの遺体用シートの包みをふたつ開けた。スカーペッタがその一枚を床に広げる。ドクター・ラニエとエリックがわきのしたとひざのうしろをもって遺体をもちあげ、シートの中央においた。そしてよけいなものが混入したり、微細な証拠が失われたりしないよう、二枚目のシートを広げてかけ、そのはしを巻きあげて、遺体をミイラのように包んだ。

116

ジェイはハンドルから片手をはなし、ベヴをなぐろうとして、思いとどまった。

「おまえはばかだ。わかってるか?」と、冷たくいう。「いったい何をするつもりだったんだ?」

「思ったとおりにいかなかったのよ」

ふたりはジャックス・ボート・ランディングへ向かっていた。チェロキーのカーラジオから六時のニュースが流れてくる。

「……イースト・バトンルージュ郡の検視官、ドクター・サム・ラニエはまだ遺体の検屍解剖を終えていませんが、捜査当局に近い消息筋によると、被害者はザカリー在住のレベッカ・ミルトン、三十六歳、とのことです。死因は公表されていませんが、消息筋によると、被害者は刺殺されたもようです。最近十四ヵ月のあいだにバトンルージュ付近で女性が行方不明になる事件があいついでいますが、今回の殺人はそうした一連の事件とは関連がないと警察では見ており……」

「ばかどもめ」ジェイはラジオを消した。「やつらがそう思っているとすると、おまえは運のいいやつだ」

ＳＵＶ車のうしろの窓からさしこむ陽の光のなかで、小型の雑種犬が四匹眠っている。バックシートにはビールが五ケース積んである。ベヴは今日、ルイジアナ州立大学の中心部にあるユニヴァーシティ・レイクでジェイをおろしてから、よく働いた。ジェイはなぜそこへいくのか、そこで一日何をするつもりなのかをいわず、五時半に同じ場所に迎えにくるようにとだけいった。脱走した兄をさがすつもりだったのかもしれない。それともベヴや釣り小屋から解放されて、うろつきたかっただけだろうか。きっと美人の女子学生をあさっていたのだろう。彼がそのひとりとセックスしているところを想像する。ベヴの心のなかに嫉妬がめばえた。そしてくすぶりつづけた。

「あたしを一日中ほっとくからよ」と、ジェイにいう。

「いったい何を考えてたんだ？　まっ昼間にその女を誘拐して、白昼堂々とボートまでつれて帰るつもりだったのか？」

「最初はね。でもあんたが気に入らないだろうと思ったの」

ジェイは何もいわない。スピードのだしすぎなどの交通違反をして、停止を命じられないよう気をつけながら、険《けわ》しい顔で運転している。

「あの女、彼女にはぜんぜん似てなかったもの。髪も黒かったし。大学をでてるかどうかもあやしかった」

ベヴは衝動をおさえることができなかった。手持ちぶさただったし、ウォルマートで目をつけたあの美人をさがす時間もたっぷりあった。この前、一晩中あとをつけて、その小羊がオールド・ガーデン・ディストリクトのあの家ではなく、ザカリーにある小さな家に住んでいることをつきとめた。その家の近所は暗かったので、小羊が不審に思うかもしれないと心配になった。そして住所をしっかり確認する前に、わき道へはいってしまった。

今朝、ベヴはそのあたりを車で流して、グリーンのフォード・エクスプローラーをさがした。表にとまっていなくても、ガレージにいれてあるかもしれないと思った。どうやら家をまちがえたらしい。けれども、いったん中にはいると、もうどうしようもなかった。

その小羊がオオカミのように立ち向かってくるとは、予想もしていなかった。その黒い髪の女性がドアをあけたとたん、ベヴはズックの袋に手をいれて銃をとりだしたのだが、すごい勢いでつきとばされたため、銃がどこかへふっとんでしまった。ベヴは床にころがり、ベルトにつけた鞘《さや》からバックツールをぬいた。そしておりたたみナイフの刃をひきだしたと自分では思って、相手を追いかけはじめた。追跡はえんえんとつづいた。悲鳴をあげて走っていた女性が壁にぶつかって倒れかかったのを逃さず、その髪をつかんで頭をしっくいの壁にたたきつけ、床にくずおれたところをまた蹴りあげた。

ところがなんと相手が立ちあがって、ベヴの肩をしたたかなぐったのだ。こちらも悲鳴をあげたような気がするが、よくおぼえていない。貨物列車が通過するときのような轟音《ごうおん》が頭のなかで鳴り響いていた。ベヴは返り血をあびながら、相手を刺しては追いかけた。それははてしなくつづくように思えた。実際は一、二分のことだったのだろう。女をベッドルームの床におさえつけ、何度も何度も刺した。はたしてあれは現実におこったことなのだろうか。いまとなってはそれもさだかではない。

でもラジオはそのニュースをくりかえし流している。バックツールの栓ぬきが血まみれになっていたことも思いだした。あの女を栓ぬきで刺したらしい。どうしてそんなことになったんだろう？

ジェイの顔を見た。車は質屋やカー・ディーラーの前をとおりすぎる。タコベルの店の前もとおる。ちょっと寄っていきたいと思う。

サワークリームにチーズ、チリにハラペーニョがのったナチョスが頭にうかぶ。ピザ屋に自動車用品店、またカー・ディーラーをとおりすぎると道路がせまくなって、両側に郵便受けがならぶ。ジャックス・ボート・ランディング、そしてバイユーへともどる道だ。

「ちょっと車をとめて、ピーナツ・ブリトル《ピーナッツ入り糖菓》でも買っていかない？」

ジェイは口をきこうとしない。

「まあいいわ。勝手にしたら。バトンルージュの町へいくといいだしたのはあんたでしょ。汚らしい兄さんをさがすために。暗くなるまで待ったらいいのに」

「黙れ」

「もしいなかったらどうするの？」

ジェイは黙りこくっている。

「そうね、いるとしたら、あのうす気味悪いワインセラーね、きっと。あそこにひそんでるのよ。お金も隠してるのかもしれない。あたしたちももっとお金がいるわ。ものすごい量のビールを買ってるから……」

「黙れといっただろ！」

ジェイの態度が冷たくなると、ベヴは自分の腕や脚や胸などについた赤いあざや深いひっかき傷をますます誇らしく思う。それらは彼女のいう「格闘」のあいだにおったものにちがいない。

「やつらはその女の爪のあいだも調べるだろう」ジェイがやっと口をきいた。「おまえのDNAをつきとめるぞ」

「あたしのDNAは、あいつらのご立派なデータベースにははいってないわよ。あんたといっしょに逃げだす前に、あたしのDNAをとったやつなんかいやしないんだから。あたしはウィリアムズバーグの近くでキャンプ場をやってる、まっとうな女だったんだから」

「まっとうがきいてあきれるぜ」

ベヴは笑みをうかべた。体の傷は勇気と力の証《あかし》だ。あんなふうに闘う気力が自分にあるとは知らなかった。この分なら、そのうちジェイをやっつけてやれるかも。だがその思いは一瞬にして消えた。ジェイに太刀打ちできるはずがない。おまえなんかこめかみに一発くらわせるだけで殺せる、とジェイはいっていた。一発で頭蓋骨を砕くことができると。女の頭蓋骨はあまり厚くないからだという。「おまえみたいなばかな女でもな」と、彼はいった。

「あの女に何をしたんだ？　何のことかわかってるだろう。服の前が血でぐっしょりぬれてるじゃないか。男みたいに上にのっかったのか？」

「ちがうわよ」よけいなお世話だ。

「じゃどうして着てるものが首から股まで血だらけになったんだよ？　出血多量で死にかけてる女のうえでオナっていたのか？」

「そんなことどうでもいいでしょ。ほかの事件とは関係ないと思われてるんだから」

「その女、どんなことをいった？」

「どういう意味よ、どんなことって？」ジェイは頭がおかしくなりかけているのだろうか？

「命ごいをしてるときにだよ。助けてくれっていっただろう。それをいいあらわすのにどんなことばを使った？」

「それって？」

「苦しみと死の恐怖におびえるのが、どんな気持ちかってことだよ！　どんなことをいったんだ！」

「わかんないわ」ベヴは思いだそうとつとめた。「『なぜ？』っていったような気がする」

117

「室温は低く、臭気はなかった」

ニックはこの記述をすくなくとも五回は読んだ。母は夫、つまりニックの父親が帰宅するほんの数分前に殺害されたのかもしれない。犯人は父の車の音をきいて、逃走したのだろうか。それともそのろくでなしが立ち去ったのが、たまたまそのときだったのだろうか。

いまは午後十時。ニック、ルーディ、スカーペッタ、マリーノ、ルーシーの五人はドクター・ラニエのゲストハウスで、コミュニティー・コーヒーをのんでいる。地元で人気のあるブランドだ。

「顔面に多数の擦過傷および裂傷」スカーペッタは検屍報告書を読みあげた。

ニックの気持ちに配慮して細かい点をとりつくろったりはしない、と最初にことわってある。そんなことをしたらニックを助けることにならない。

「額に擦過傷と裂傷、まぶたに斑状《はんじょう》出血、鼻骨骨折、前歯はぐらついている」

「つまり、顔をぶちのめされたわけだ」マリーノがそういって、コーヒーをのんだ。いつものように、クレモラのクリームと砂糖をたっぷりいれてある。「犯人が顔見知りだった可能性は？」と、ニックにきく。

「母は自分でドアをあけているの。発見された場所はドアのすぐそばだった」

「お母さんはいつも用心深くドアに鍵をかけていた？」ルーシーは身をのりだすようにして話に加わり、ニックに熱のこもった視線を向けている。

ニックもルーシーをじっと見た。「はっきりいえないわ。夜は鍵をかけていたけど。でもあのときは父やわたしがじきに帰ってくることがわかっていたから、鍵をかけていなかったのかもしれない」

「だからといって、そいつがベルも鳴らさず、ノックもしなかったとはいえない」と、ルーディが指摘する。「お母さんがだれかを警戒してたってことにもならないけど」

「そうね。何ともいえないわね」と、ニックが答える。

「後頭部に鈍器損傷。頭頂部に縦七・五センチ横十センチの放射状の裂傷。頭頂部と後頭部に広範囲にわたる血腫。頭皮下に五十ミリリットルの液状の血液……」

マリーノとルーシーは現場写真をやりとりしている。ニックはまだそれらを見ていない。

「ドアのすぐ左に血痕があるな」と、マリーノがいった。「髪についた血のあとだ。お母さんの髪の長さはどれぐらいだった？」

ニックはごくりとつばをのみこんだ。「肩につくぐらい。ブロンドだったわ。わたしと同じような」

「はいってきたとたんだったのね。いきなりおそわれたのよ」ルーシーがいう。「レベッカ・ミルトンの場合もそうだった。突然おそわれるときは、大体そんなふうにことがはこぶのよね。被害者が犯人を怒らせたようなとき」

「その傷の状況からすると、頭を壁にたたきつけられたってことなのかな?」と、ルーディがたずねる。

ニックは平静をたもっていた。わたしは警官なのだから、と自分にいいきかせている。

スカーペッタはニックと目をあわせた。「つらいのはわかってるわ、ニック。みんな率直に話そうとしているの。率直に話しあえば、あなたの疑問もすこしはとけるかもしれないでしょう」

「わたしの疑問は消えることはないわ。犯人はぜったいわからないでしょうから」

「ぜったいってことはないぜ」と、マリーノがいう。

「そうよ」ルーシーもうなずいた。

「二頭頂骨と後頭骨の粉砕骨折。眼窩《がんか》上縁骨折。両側性硬膜下血腫。各三十ミリリットルの出血……ここはもういいわ……ここも」スカーペッタはページをめくった。その報告書はコンピューターのプリントアウトではなく、タイプされたものだ。「刺し傷もあったようね」と、つけ加える。

ニックは目をつぶった。「母が何も感じなかったのならいいけど」

だれも何もいわない。

「あの」ニックはスカーペッタのほうを見た。「母は苦痛を感じたかしら?」

「恐怖は感じたでしょうね。肉体的な苦痛はどうかしら。どんな痛みを感じたか推測するのはむずかしいわね。いきなり傷をおわされた場合は……」

マリーノが口をはさむ。「引き出しに手をつっこんでナイフで切っても、すぐには痛みを感じねえよな。それと似たようなもんだと思う。じわじわやられたんじゃなけりゃ。拷問《ごうもん》みたいによ」

ニックは心臓発作でもおこしたかのように、鼓動が乱れるのを感じた。

「拷問されてはいないわ」スカーペッタはニックを見ていった。「それはたしかよ」

「刺し傷というのは?」と、ニックがたずねる。

「指と手のひらに裂傷があるわ。防御創ね」スカーペッタはまたニックのほうをちらっと見た。「左右の肺の創傷にともなう胸膜腔内の出血、各二百ミリリットル。ごめんなさいね。つらいのはわかっているけど」

「それが致命傷だったのかしら? その肺の傷が?」

「最終的にはね。でも頭に受けた傷も命とりになったといえるわ。両手の爪もわれている。爪のしたから同定不能な物質を検出」

「それ、保存されているかしら?」と、ルーシーがきく。「DNA検査の技術はいまほどすすんでなかったでしょう」

「同定不能ってどういうことなんだよ」と、マリーノがいった。

「ナイフの種類は？」と、ニックがたずねる。

「刃渡りの短いものね。どれくらいの短さかはわからないけど」

「ポケットナイフかもしれねえな」と、マリーノがいう。

「そうかもしれない」

「母はポケットナイフなんかもっていなかったわ。そういうものは……」ニックはあふれそうになる涙をこらえた。「つまり、武器には関心がなかったってこと」

「犯人がもってたのかもしれないわ」ルーシーが助け舟をだす。「でももし凶器がポケットナイフだったのなら、犯人は武器が必要とは考えていなかったんじゃないかしら。いつもち歩いているナイフかもしれないわね。そういう人間はいっぱいいるでしょう」

「刺し傷は、今日見たものとはちがうんですね？」ニックがスカーペッタにきく。

「まったくちがうわ」

118

ニックは母親のアンティークショップのことを話しはじめた。

母親はその店を所有していたが、家事のさまたげにならないよう、時間を限って店をあけていた。シャーロット・ダードとも顔見知りだったという。

ニックはコーヒーのはいったマグカップを見つめている。「これ、また電子レンジであため直したら、あしたカフェインの中毒症状がでるかしら？」

「おふくろさんとシャーロット・ダードがともだちだったって？」マリーノがきく。「くそ。なんでもっと早くいわねえんだよ？」

「信じられないかもしれないけど、いままですっかり忘れてたの。いろんなことを思いだすまいとしてたのね、きっと。母のこともほとんど考えなかったわ。女性が誘拐される事件がおこりはじめるまでは。でも今日の……あの現場。レベッカ・ミルトンがどんなことをされたかを見て。それでいま思いだしたの」

ニックは立ちあがってコーヒーをあたため直しにいった。電子レンジの大きな音が一分ほどつづく。ドアがあき、彼女がソファにもどってきた。コーヒーから湯気があがっている。とてものめた代物ではなさそうだ。煮すぎたようなにおいがしている。

の？」

「ニック」と、スカーペッタが声をかけた。「ロビヤードって、あなたの結婚後の苗字なの？」

ニックがうなずく。

「もとの苗字は？」

「メイユー。母の名前はアニー・メイユーよ。だから、だれもわたしが娘だってことに気がつかないの。どっちみち時間がたつとみんな事件のことは忘れてしまうんだけど。母が殺された事件のことをおぼえている人が警察のなかにいても、わたしと結びつけては考えないわ。わたしも何もいわないし」ニックはコーヒーをすすった。味のことなど気にならないようだ。「母のアンティークショップはステンドグラスの窓や、ドア、よろい戸なんかを扱っていたの。それから古い廃品のたぐいね。見る目のある人にとっては、なかなかいいものもあったらしいわ。ヌマスギを使った手造りの家具もいっぱいあった。シャーロット・ダードはお客さんのひとりだったの。家を改造していたので、母の店でいろいろ買ってくれてね。それでふたりは親しくなったの。すごく仲がいいってほどではなかったけど」ニックはことばを切って、記憶をたどった。「母は彼女のことを話していたわ。お金持ちでスポーツカーにのっているとか、改造中の家がしあがったらすばらしいものになるだろうとか。ミセス・ダードに買ってもらってずいぶん助かったんでしょうね。教師としての父の収入はあまり多くなかったから」と、悲しそうにほほえむ。「母は商売が上手だったし、倹約家でもあったの。いま父が生活していけるのは、母の店がうまくいっていたおかげといってもいいぐらい」

「ミセス・ダードは薬物の乱用者だったのよ」と、スカーペッタがいった。「そして薬ののみすぎで死んだの。事故だったのか殺害されたのか。たぶん後者だと思う。亡くなるすこし前ごろから、一時的に記憶をなくすことがあったらしいんだけど。彼女の件について何か知っている？」

「このあたりの人ならだれでも知ってるわ。バトンルージュではその話でもちきりだったの。パラダイス・エーカーズとかいうモーテルの一室で急死したんでしょう。なんだか墓地みたいな名前だけど。チョクトーのはずれにあるモーテルね。チョクトーは町のなかでもさびれた地域でね。うわさでは彼女は浮気していて、そこで相手と会っていたという話だった。ニュースで流された以上のことはわたしも知らないわ」

「彼女のご主人のことは？」と、ルーシーがきいた。

「いい質問ね。彼に会ったことがあるって人の話は、きいたことがないの。おかしいでしょう？　貴族かなんかで、しょっちゅう旅行しているらしい。それくらいしか知らないわ」

「写真を見たことは？」と、ルーディがきく。

ニックはかぶりをふった。

「じゃ、ニュースにもでないんだな」

「いっさい表にでてこない人なの」

「ほかになんかねえか？」マリーノがたずねる。

「そう、どうも妙なつながりがあるらしいんだよね」ルーディがスカーペッタのほうを見た。「どっかの薬剤師が容疑者としてうかんで、ロッコ・カジアーノがその弁護士だった」

マリーノは席を立ってコーヒーのおかわりをつぎにいった。

「よく考えて」ルーシーがニックをうながす。

「わかったわ」ニックは深呼吸した。「ええと。ひとつ思いだしたわ。シャーロット・ダードが母をカクテルパーティに招待したの。母はカクテルパーティにいくような人じゃなかったんだけど。お酒はのまないし、恥ずかしがりやで、きどった人たちにもなじめなかった。だからそのパーティにでたのは、母としては思いきったことだったの。会場はダード家のプランテーションだった。母は商売を広げるつもりもあったんでしょうね。それから大切なお客さんのミセス・ダードに気をつかったのね」

「それはいつのこと？」と、スカーペッタがきく。

ニックはすこし考えてから答えた。「母が殺されるちょっと前よ」

「ちょっと前って、どれぐらい前？」ルーディがたずねる。

「ええと」またつばをのみこむ。「何日か前。何日か前だったと思う。パーティに着ていった服……わざわざそのために買ったの」また目をとじた。嗚咽《おえつ》がのどからもれる。「ピンクのドレスで白のパイピングがしてあった。殺されたときにまだクローゼットのドアにかかってた。クリーニングにだすのを忘れないように、そこにかけてあったの」

「お母さまはシャーロット・ダードが死ぬ二週間たらず前に亡くなったのね」と、スカーペッタがいった。

「おかしな話じゃねえか」と、マリーノが指摘する。「ミセス・ダードは薬におぼれて、ひどい発作をくりかえしてた。それなのに彼女が大々的なガーデンパーティをひらくのを、だれもとめなかったのか？」

「たしかに変だよな」と、ルーディもいう。

「あのな」マリーノがまた口をひらいた。「おれは二十時間近く運転しっぱなしでここへきたんだ。それからルーシーのヘリのせいで酔っちまった。もう寝かせてもらうぜ。これ以上おれに推理させると、サンタクロースを逮捕しろってなことをいいだすからな」

「あたしのヘリのせいじゃないわよ」と、ルーシーがいう。「でも寝たほうがいいわ。美容のためにね。ところでサンタクロースはあなたじゃなかったっけ」

マリーノはカウチから立ちあがり、ゲストハウスをでて母屋へ向かった。

「わたしもそろそろ限界だわ」スカーペッタも椅子から立ちあがる。

「わたしもいかなきゃ」と、ニックがいった。

「あなたはまだいいのよ」スカーペッタはなんとか彼女の力になろうと、いっしょうけんめいだ。

「あとひとつだけきいてもいいかしら?」と、ニックがいう。

「もちろんよ」スカーペッタは疲れはてていた。頭のなかが凍りついているような感じだ。

「どうして犯人は母をなぐり殺したのかしら?」

「レベッカ・ミルトンはなぜ殺されたのだと思う?」

「犯人の計画どおりにことが運ばなかったから」

「お母さんは犯人に抵抗したかしら?」と、ルーシーがきく。

「目玉をえぐりだそうとしたでしょうね」と、ニックは答えた。

「それがさっきの質問の答えかもしれない。ごめんなさい。いまはあまり役に立てそうもないわ。疲れきっていて」

スカーペッタはせまい居間をでて、ベッドルームのドアをしめた。

「大丈夫?」ルーシーはカウチへ移って、ニックの顔を見た。「つらかったでしょう、ほんとに。とても口じゃいえないわね。あなたは強いわ、ニック・ロビヤード」

「父はもっとつらかったでしょうね。あのあと、生きることをあきらめてしまったの。何もかもすてて」

「たとえばどんなものを?」ルーディが思いやりをこめてたずねた。

「そうね、父は教えることが大好きだった。それから水辺ですごすのも好き。というか、前は好きだったわ。父も母も。だれにも邪魔されない場所に釣り用の小さな小屋をもっていてね。人里はなれた、ほんとに辺鄙《へんぴ》なところ。あれ以来、父はいこうとしないけど」

「どのへん？」

「ダッチ・バイユーよ」

ルーディとルーシーは顔を見あわせた。

「その小屋のことを知っている人は？」と、ルーシーがきく。

「母がそのことをしゃべった相手はみんな知ってたと思うけど。母はおしゃべりだったから。父とはちがって」

「ダッチ・バイユーってどこ？」ルーシーはつぎにたずねた。

「モーリパス湖の近くよ。ブラインド川からはいったところ」

「いまでもその場所がわかる？」

ニックはルーシーを見つめた。「どうして？」

「いいから質問に答えて」ルーシーがニックの腕に軽くふれる。

ニックはうなずいた。ふたりの視線がからみあう。

「わかった。それじゃね」ルーシーはあいかわらずニックを見つめている。「あしたいきましょう。ヘリコプターにのったことある？」

ルーディが立ちあがった。「失礼するよ。くたくただ」

彼はわかっている。それを自分なりに受けいれてもいる。だが見たくはない。ルーシーは彼と目をあわせた。ルーディはそれなりに理解してくれているが、本当の意味で理解することはないだろう。「じゃ、あしたの朝ね、ルーディ」ルーディは部屋をでていった。軽いあしどりで階段をのぼっていく音がする。

「向こうみずなことをしないでね」ルーシーがニックにいった。「どうもそういうことをしそうなタイプに見える。実際、やってきたんじゃない？」

「実はひとりでおとり捜査をしてるの」と、ニックは打ち明けた。「ねらわれそうなかっこうをして。わたしはこの連続誘拐事件の被害者たちと似たタイプだから」

ルーシーは彼女をしげしげと見た。全身をじっくり観察してどんな女性かを判断する。といっても実は今晩ずっとそれをやっていたのだが。

「そうね。ブロンドの髪、女らしい体つき、知的な雰囲気。でもあなたの物腰は被害者には似つかわしくない。強いエネルギーを感じるもの。だけど犯人にとっては、ますますそそられる相手かもね。つかまえがいがあるというか。大きな獲物ってことになる」

「動機がちょっと不純だったかもしれない」ニックが反省する。「犯人がつかまることを望んでいないわけではない。もちろんつかまってほしい。何が何でも。でもわたしがいきりたって、がむしゃらに自分を危険にさらすようなまねをしたのは、タスクフォースの連中に相手にしてもらえなかったためでもあるの。田舎町の警官で、しかも女だからね。アメリカで最高の法医学アカデミーで訓練を受けているのは、たぶんわたしだけなのに。あなたのおばさんをはじめ、一流の講師陣による講義を受けたのよ」

「おとり捜査をしているとき、何か見なかった?」

「キャサリンが誘拐されたウォルマート。事件がおこる数時間前かあとかに、あそこにいたんだけど。いまだに気になっていることがひとつあるの。挙動不審な女性がいてね。駐車場でころんだの。ひざががくんとなったといってたけど。なんだかいやな感じがしたの。それで彼女からはなれて、立ちあがるのにも手をかさなかった。なぜか近づかないほうがいいような気がして。気味の悪い、おかしな目をしていて、わたしのことを小羊って呼ぶの。いろんなあだ名で呼ばれたことはあるけど、小羊なんていわれたのははじめて。頭のおかしいホームレスの女性だと思うんだけど」

「顔とか体つきはどんなふうだった?」ルーシーは冷静さを失うまいとつとめている。証拠をつみかさねて真相にせまるのであって、あらかじめつくりあげた真相に証拠をあてはめてはならない。

ニックはその女性の人相を説明した。「それでね、その女が、すこし前に店内にいたのを見かけたんだけど、安物のランジェリーをあさって、万引きしてたのよ」

ルーシーは興奮してきた。

「犯人は女かもしれない、あるいは女の共犯者がいるとは、これまでだれも考えなかった。

ベヴ・キフィン」

ニックはコーヒーのおかわりをつぐために立ちあがった。手がふるえている。カフェインのせいだと思いこもうとした。「ベヴ・キフィンってだれ?」

「FBIの重要指名手配犯のリストにのっている女よ」

「なんですって?」ニックはまた腰をおろした。さっきよりルーシーに近いところだ。ルーシーのそばにいたいと思う。理由はわからない。そばにいると元気がでて気持ちが高揚する。

「もうひとりでうろついたりしないって約束して」と、ルーシーがいう。「あたしのタスクフォースに参加してると考えて。いいわね? いっしょにやるのよ、みんなで。おばさんやルーディやマリーノと」

「約束するわ」

「ベヴ・キフィンとかかわったりしたらだめよ。たぶん彼女が、女性たちを誘拐してつれていってるのだと思う。パートナーのジェイ・タリーのところへ。FBIの重要指名手配犯リストのトップにのってるやつよ」

「ふたりがこのへんに隠れてるというの?」ニックは信じられない様子だ。「そんなおそろしいやつがふたり、ここにいるの?」

「やつらにとって、これ以上都合のいい場所はないと思う。お父さんが釣り小屋をもっているといってたわね。お母さんが殺されてからはそこへいっていないって。シャーロット・ダードがその小屋のことや、それがどこにあるかを知っていた可能性はある？　いまもあるのよね」

「あるわ。父は売ったりしていないはずだから。もう腐りかけてるでしょうけど。ミセス・ダードは知っていたかもしれない。母は廃物の収集に熱心だったから。店で売れるようなものだけど。雨風にさらされた古い廃材が好きで、暖炉のマントルピースやむきだしの梁《はり》なんかにどうかって、お客さんによくすすめてたわ。とくに釣り小屋の土台の太い杭が好きだったみたい。ミセス・ダードに何を話したかはわからない。でもまったく人を疑わないたちだったからね。だれにでもいいところがあると思ってたみたい。それで何でもしゃべってしまうの」

「お父さんがいかなくなったというその釣り小屋の場所、おぼえてるのよね？」

「おぼえてるわ。ダッチ・バイユーにあるの。ブラインド川をはいったところ。案内できるわ」

「空からでも？」

「たぶん大丈夫」

119

ベントンはのってきたジャガーを、教会の裏の駐車場にとめた。ダード邸から七、八百メートルのところだ。

車やトラックが近づいてくる音がすると、下生えをつっきって、ミシシッピ川から道路をへだてたところにある、うっそうとした森に隠れる。だれがとおりかかるかわからないし、黒のスーツに黒のTシャツ、黒の野球帽に黒のウエストポーチというでたちの男が、雨にぬれながら細い道のわきを歩いていたら、奇異に思われるからだ。車が故障したのかときかれるかもしれない。とにかくじろじろ見られるだろう。

昨晩車でとおりすぎた門が見えてくると、舗道をはずれて森のなかへはいっていった。今回はどんどん奥へすすんでいく。やがて木々のうえにやしきがつきでているのが見えた。たえずあたりに注意をはらい、足元も見ながら歩く。地面に落ちている小枝をふんで音をたてないよう気をつけた。幸い、枯れ葉はしめっていて、ふんでも音がしない。ゆうべあたりを偵察したときには、森へははいらなかった。暗くてよく見えなかったが、懐中電灯を使うわけにいかないからだ。しかし門はよじのぼってこえた。そのときに上着とジーンズにさびをいっぱいつけてしまった。今日またスーツを着ることにしたのは、ひとつにはそのためだ。

最後にここへきたときから、どれぐらい変わっているだろう？　暗かったので、手入れが行き届いているかどうかよくわからなかった。だがそこを立ち去る前に、やしきの正面にはえている灌木のそばに、石をなげてみた。センサーライトがつくかどうかためそうと思ったのだ。ライトはつかなかった。もう一度やってみたが、やはり同じだった。もしまだ機能しているものがあって、今朝それがついたとしても、目立たないだろう。曇っているとはいえ、あたりは明るいからだ。以前にはやしきのまわりに精巧な防犯カメラが設置してあった。だがベントンは、それらのカメラが機能しているかどうかたしかめてみるほど軽率ではない。もしこわれていなければ、カメラは作動し、生きているかのように彼を追うだろう。

車道には白いメルセデス五〇〇ＡＭＣの新車と、古い型のボルボがとまっている。メルセデスのほうは昨晩はなかった。だれの車かはわからない。ルイジアナ・ナンバーだが、所有者を調べる手立ても時間もない。ボルボはイヴリン・ギドンのものだ。すくなくとも六年前はそうだった。やしきの玄関のドアがあいた。ベントンは黒い服を着ていることに感謝しつつ、しずくのたれる太い木のうしろで、シカのように動きをとめた。入り口の階段の十五メートルほど左で、姿勢を低くしてうずくまる。玄関からはまったく見えない。

連邦検事のウェルドン・ウィンがでてきた。例によって大声でしゃべっている。最後に見たときより、さらに太ったようだ。あの高級車にのりこむのだろうと思いながら、ベントンは急いで考えをめぐらした。ウェルドン・ウィンがここにいるのは予想外の事態ではあるが、こちらにとっては喜ばしいことだ。それはジャン・バプティスト・シャンドンが、バトンルージュにおけるシャンドン一家の拠点であるこのプランテーションに逃げこんだか、逃げこもうとしていることを示唆《しさ》している。悪の巣窟《そうくつ》ともいうべきこのプランテーションが、長年あやしまれずにきたのは、これにかかわる人々がきわめて忠実であるか、さもなければ死んでしまっているからだ。たとえばベントンは死んだことになっている。

彼はバトンルージュの卑劣な連邦検事が、古びたれんが敷きの通路をとおって、古い石造りの建物へ向かうのを目で追った。ゴシック風の黒いドアがついたその建物のなかに、ワインセラーがある。ワインセラーは何百年も前に奴隷に掘らせた洞窟で、曲がりくねったトンネルが一キロ近くもつづいている。ウィンはドアの鍵をあけ、なかへはいってドアをしめた。いまやびしょぬれになったベントンは、うずくまった姿勢のまますばやく動きはじめた。ツゲの木の後ろに隠れ、ワインセラーとやしきに交互に目をやりながらすすんでいく。やがてもっとも危険な動きに移る。彼は立ちあがり、やしきに背を向けて、なにげない様子で歩きはじめた。

だれかが窓から見ていたとしても、黒ずくめの服装をしたこの男は、シャンドン一家の友人のように見えるだろう。ワインセラーのぶあついオーク材のドアの後ろから、かすかに話し声がきこえてくる。

120

スカーペッタはアルバート・ダードのことが頭からはなれない。

小さな体についた傷跡を想像した。自傷行為は一種の中毒だ。自分を傷つけることをくりかえせば、そのたびに精神病院へいれられるだろう。やがてはそこに入院している患者と同じように、精神を病んでしまいかねない。

アルバート・ダードは入院する必要などない。彼に必要なのはだれかの助けだ。なぜ彼が激しい不安にかられて、自分のなかにとじこもってしまったのかを、さぐってやらなければいけない。何らかの理由で彼は感情をおさえつけ、おそらく記憶も抑圧した。そしていまになって自分にコントロールする力があることを実感し、つかのま解放感を味わい、自分の存在を肯定するために、自らを傷つけるのだ。飛行機にのっているあいだ、アルバートがまわりから孤立しているかのように、ひとりでカードで遊んでいたのを思いだした。そのカードも、斧《おの》にかかわる暴力的なものだった。だれも迎えにこないと知ったときの、彼の激しい動揺ぶりも目にうかんだ。あのように放っておかれたことが、前にもあるにちがいない。

時間がたつにつれ、アルバートの世話をするはずの人々に対する怒りと、彼の身の安全についての懸念がつのってきた。

ドクター・ラニエのゲストハウスでコーヒーをのみながら、ハンドバッグをさぐって、アルバートの家の電話番号をとりだした。彼のおばさんがくるのを待っているあいだに、書きとめたものだ。おばさんは実はアルバートを迎えにくるつもりなど最初からなく、スカーペッタが彼の面倒をみるようしくんでいたのだ。ミセス・ギドンがどのような企てやたくらみをもっていたのかは、もはや重要ではない。もしかすると彼女はスカーペッタを家におびきよせて、シャーロット・ダードの死について何を知っているかをさぐろうとしたのかもしれない。それならスカーペッタがこれまでにわかっている以上のことは知らないのを確認して、満足しているだろう。

電話番号をダイヤルすると、驚いたことにアルバートがでた。

「飛行機で隣にすわってたおばさんよ」と、彼にいった。

「こんにちは！」アルバートはびっくりしたようだが、うれしそうにあいさつした。「どうして電話くれたの？　電話なんてかけてくるはずないっておばさんはいってたけど」

「おばさんはどこにいるの？」

「わかんない。外へいった」

「車ででかけたの？」

「ううん」

「ずっとあなたのことを考えてたのよ、アルバート。まだここにいるんだけど、もうすぐ発《た》つの。その前に会いにいっていいかしら?」

「いま?」アルバートは喜んでいるようだ。「ぼくに会いにきてくれるの?」

「いいかしら?」

いいよ、と彼ははずんだ声でいった。

121

ベントンは音がしないようにそっとワインセラーのドアをあけた。シグ・ザウエルをぬいて引き金に指をかけ、せまい入り口の片側に立つ。

すぐ向こうでつづいていた会話がとまり、男の声がいった。「ちゃんとしめなかったんじゃないか」

階段をのぼってくる足音がした。五段ほどのぼったところで、ウェルドン・ウィンとおぼしき男の手がドアを押してしめようとした。ベントンはそれを強く押しかえした。ドアは大きく開き、ウィンはそれにぶつかって階段をころげ落ちた。彼は石の床に倒れ、驚きと痛みにうなり声をあげた。ウィンが話していた相手は、その数秒のあいだに、もうひとつの階段をかけおりた。その人物――おそらくジャン・バプティスト――が全速力で走って逃げていくのがきこえたが、逃げおおせることはできないはずだ。この洞窟には入り口はあるが、出口はない。

「おきろ」ベントンはウィンに命じた。「ゆっくりだ」

「けがしてるんだ」彼はベントンを見上げた。ベントンは階段のいちばん上の段に立ち、後ろ手にドアをしめた。そのあいだもピストルをウィンの胸に向けている。

「けがをしていようがいまいが関係ない。おきるんだ」

ベントンは野球帽をぬいで、ウィンの体の上にほうりなげた。ウィンが気がつくのにしばらくかかった。やがて彼の顔が青ざめ、口がぽかんとあいた。レインコートを体に巻きつかせ、不自然な姿勢で床に横たわったウィンは、恐怖に目を見開いてベントンを見つめた。

「まさかおまえじゃないだろう」呆然としていう。「まさか!」

そのあいだもベントンは足音に耳をそばだてている。逃げていった人物の足音だ。しかし何もきこえない。

ここは窓のないせまい空間だ。クモの巣におおわれたはだか電球が天井からさがり、ヌマスギ材の小さなテーブルがおかれている。何百年も前のものと思われるそのテーブルは、黒っぽい輪状のしみでおおわれている。ここでテイスティングされた数知れないワインのボトルのあとだ。石の壁はじっとり湿っている。ベントンの左側の壁には鉄の輪が四つ、輪つきボルトでとめてある。非常に古いものだが、錆《さび》はおおかたこすり落とされている。そばの床にはコンセントがあり、黄色いナイロンのロープを巻いたものがおいてある。

「おきろ」ベントンはまたいった。「ほかにだれがここにいるんだ?　いまだれと話してたんだ?」

けがをしているというのに、ウェルドン・ウィンは驚くほどの敏捷《びんしょう》さでいきなり床のうえをころがり、レインコートの下から銃をとりだした。

ベントンは二発撃った。弾はウィンの胸と頭に命中した。ウィンは引き金に指をかけるひまもなかった。銃声は石の壁にさえぎられて、鈍くひびいた。

122

マリーノひとりの体重で、ヘリコプターの速度が五ノットほど落ちることになる。

しかしルーシーは気にしていない。どっちみちこの天気では最高速度はだせない。スピードをだしてアンテナにひっかかったらばかばかしい。このあたりはいたるところにアンテナがある。たちこめる霧の上につきでているのだが、ストロボのついたこの細い障害物は、遠くからではほとんど見えない。二十分前にバトンルージュを飛びたったときより、天候は悪化している。

「気にいらねえな」マリーノの不安そうな声がヘッドホンからきこえてくる。

「あなたが操縦してるわけじゃないんだから。心配しないで。どうぞ空の旅をお楽しみください。何かおもちしましょうか、お客さま？」

「そうだな、パラシュートでももってきてもらおうか」

ルーシーはにやにやした。ルーディとふたりでコックピットから注意深く外を見ている。

「ちょっと操縦桿から手をはなしてもいい？」わざとマリーノにきこえるように、ルーディに向かっていう。

「おれをからかってるんだな！」マリーノがわめいた。

「わあ、すごい声」ルーシーはヘッドホンのボリュームをさげた。そのあいだにルーディが操縦桿をにぎる。「イッツ・ユアー・シップ」《まかせたわ》ルーシーはきまりことばを口にした。操縦をたくしたことをもうひとりのパイロットにはっきり知らせたいとき、そのようにいう。

ルーシーは緊急用腕時計の小さなつまみをまわして、上部のディスプレイをストップウォッチのモードにした。

ニックはヘリコプターにのるのは生まれてはじめてだ。騒いでますます状況を悪化させるのはやめてほしい、と彼女はマリーノにいった。

「あのふたりといっしょにいて安全じゃないなら、だれとだって安全じゃないわ。それにこの天気じゃ、墜落するより車にひかれる危険のほうが大きいわよ」

「ばかいうな。車なんてねえだろ、ここには。墜落なんてことばを使うのはやめてほしいね――」

「注意して見て」ルーシーがみんなにいう。いまや笑みは消えている。彼女はGPSに目をやった。

昨日、マリーノといっしょにこのあたりを飛んでモーリパス湖の北西のはしを見つけたとき、座標をGPSにいれておいた。

「ルートからはずれてないわ」

ふたたび操縦桿をにぎったルーシーは、三百フィートまで高度をさげ、速度を八十ノットに落とした。うずまく霧のあいだからモーリパス湖がちらっと見える。ヘリはほとんどその真上を飛んでいる。やれやれ。湖やそこから流れでる小川やバイユーのうえではアンテナにひっかかる心配はない。さらに速度を落とした。ルーディは身をのりだし、湖岸線をみきわめようと目をこらしている。

「ニック？」ルーシーが呼びかけた。「きこえる？」

「きこえるわ」ニックの声が答える。

「何か目印になるものが見える？」

ルーシーは速度を六十ノットに落とした。これ以上対気速度を落とすのなら、ふだんはホバリングするところだ。しかしいまは視界が悪いので、地面効果のおよばないところでホバリングすることは避けたい。

「すこしもどってもらえる？　ブラインド川をさがすから」と、ニックがいう。「湖のはしのところで、ブラインド川からダッチ・バイユーが枝分かれしているの」

「どっちへいけばいい？」ルーシーは方向転換するため、ゆっくりヘリを傾けた。この高度で陸のうえへもどるのは気がすすまない。昨日、障害物の位置をしっかり頭にいれておいてよかった。

ニックはすこしためらってから答えた。「川にそって湖へ向かっていくと、三時の方向にダッチ・バイユーがあるはず。つまり右手に」

ルーシーはヘリを回転させてさきほどのルートにもどり、ふたたび水のうえを飛びはじめた。

「あれよ」と、ニックがいう。「あれがブラインド川。左へまがってるでしょう。もうすこし高度をあげればよく見えるんだけど」

「無理だな」と、ルーディがいう。

「たぶん……そうよ！」ニックは興奮してきた。「あそこにある。あの細い小川。右に見えるでしょう。あれがダッチ・バイユー。父の釣り小屋は、一キロちょっとのところにあるわ。左側に」

急にみんなぴりぴりしだした。ルーディがショルダーホルスターからピストルをぬく。ルーシーは深呼吸した。おもてにだすまいとつとめているが、ひどく緊張し、不安にかられている。百フィートまで高度をさげた。ヘリは細いバイユーの真上にいる。流れにおおいかぶさるように生えているヌマスギが、霧のなかで不気味な姿に見える。

「この高度だと、もうやつらにきこえてるわね」ルーシーは落ち着いた声でいった。状況が急激に緊迫化してきたが、あわてずに神経を集中させ、考えようとつとめている。

突然、荒れはてた灰色の小屋があらわれた。ゆがんだ桟橋に白いボートがつないである。それだけがまわりの景色と調和していない。

ルーシーは小屋のうえを旋回した。「これ？　これでしょう？」アドレナリンのせいで、つい声が大きくなる。

「そうよ！　屋根に見おぼえがある。父は屋根に砕いた青石を使ったの。まだ青い色がすこし見えるわ。ポーチと網戸も同じよ！」

ルーシーは高度を五十フィートまで落とし、ホバリングしながら左へまがり、ルーディの側の窓がボートの真上にくるようにした。

「撃って！」と、ルーディに向かって叫ぶ。

ルーディは窓をあけ、ボートの底につづけざまに十七発撃ちこんだ。小屋のドアがぱっと開き、ベヴ・キフィンがショットガンをかかえて走りでてくる。ルーシーはサイクリック・ピッチレバーを前に押して、ヘリの対気速度をあげた。

「かがんで！　でも座席からおりちゃだめ！」

ルーディはすでに新たな弾倉を銃にたたきこんでいる。後部座席は燃料タンクの真上にあるが、ルーシーはそのことを心配してはいない。ジェットAはガソリンほど可燃性が高くないので、ショットガンの散弾があたっても、せいぜい燃料がもれるぐらいだ。一方、床におりると機体の外殻をつらぬいた弾にあたる危険がある。

ルーディがフロートを作動させる準備をした。

ベヴのショットガンはポンプ・アクション式で、マガジン・エキステンダーがついている。ベヴは七発をつぎつぎに撃った。散弾が複合材でできたヘリの外殻にあたり、窓が砕けた。メインローターのブレードとエンジン・カウリングにも散弾が命中した。もしエンジンの燃焼室にあたったら火災がおきるだろう。ルーシーはすぐにスロットルを切り、コレクティヴ・ピッチレバーをさげた。警報が鳴って危険を告げる。さらにレバーをさげ、右ペダルを押して機体を風のほうへ向けた。丈の高い草がはえた湿地しか着陸できる場所はない。銃声のような鋭い音をたてて窒素がふきだし、着陸用そりについているフロートが、ゴム製のいかだのようにたちまちふくらんだ。ヘリはバランスを失ってゆれ、ルーシーは必死で機体を安定させようとした。六つあるフロートのうち、すくなくともひとつに散弾があたったらしい。

着陸がスムーズにいかなかったので、ＥＬＴ《緊急位置発信機》が作動した。ヘリは密生した草とにごった黒い水のなかでゆれ、右に大きく傾いた。ルーシーは運転席側のドアをあけて下を見た。こちら側の三つのフロートのうちふたつに散弾があたったため、ふくらまなかったようだ。ルーディがバッテリーと発電機をとめた。みんなしばし呆然として、いきなりおとずれた静寂に耳をすませた。ヘリコプターは右に傾き、泥のなかにめりこんでいる。百メートルほどはなれたところで、ボートが浸水しているのが見える。船首をあげて沈んでいくところだ。

「すくなくともこれで逃げられなくなったわけだ」と、ルーディがいう。彼とルーシーはヘッドホンをはずした。

ルーシーは腕時計についた大きなふたをとってなかのアンテナをひきだし、時計に内蔵の

ＥＬＴも作動させた。

「いきましょう。ずっとこうやってすわってるわけにはいかないわ」

「すわっててもいいよ、おれは」と、マリーノがいう。

「ニック？」ルーシーはふりむいた。「このへんの水はどれぐらいの深さかわかる？」

「それほど深くはないはず。深ければこんなに草がはえないもの。問題は泥ね。ひざまでうまってしまうかもしれない」

「おれはどこにもいかねえからな」と、マリーノがいった。「いく理由がねえだろ。ボートは沈んじまってるんだから、あの女はどこにもいけねえ。ヘビにかまれたり、くそいまいましいワニに食われたりするのはごめんだよ」

「こうすればいいわ」ニックは隣にいるマリーノを無視していった。「小屋のすぐうしろまで草がつづいているの。水はあまり深くないわ。よく長靴をはいてイシガイをとっていたもの」

「じゃ、いくわよ」ルーシーは運転席のドアをあけた。

小屋のなかで何匹もの犬がさわがしく吠えているのがきこえる。

ルーシーはそう簡単に外へはでられない。着陸用そりについている大きくふくらんだフロートのため、そっと片足ずつおりることができないのだ。彼女はショートブーツのひもをきつくしめなおし、グロックと予備の弾倉をルーディにあずけた。

スカイダイビングでもするようにドアのところに立つ。「一、二の三!」

足から先に水に落ちた。意外にもブーツのすこしうえまでしか沈まないので、ほっとした。はやく歩けば沈みかたはもっとすくない。泥だらけの顔でヘリに近づき、手をのばして銃を受けとり、ズボンのうしろにはさみこむ。予備の弾倉はとりあえずポケットに押しこんだ。

みな順に銃と弾薬をほかの人にあずけて、ルーディ、つづいてニックがとびおりた。ルーシーと同じ側からだ。マリーノだけが、どっしりしたかたまりのように、後部座席にすわっている。

「ヘリが横転するまでそこにすわってる気か?」ルーディが声をあげた。「ばか! はやくおりろ!」

マリーノはすわったままドアに近づき、ルーディに銃をほうり投げた。とびおりたときにバランスをくずし、ころんでフロートに頭をぶつける。全身泥まみれになってなんとか立ちあがり、悪態をついた。

「しいっ」と、ルーシーがいう。「水のうえでは音が伝わりやすいのよ。けがはない?」

マリーノはルーディのシャツで手をふき、険悪な顔で銃を受けとった。ヘリコプターと腕時計のELTが、空港の管制塔のレーダースクリーン上で緊急事態発生を告げている。緊急周波数をモニターしているパイロットも、それをキャッチしているはずだ。

一行は、ヘビに出くわさないようあたりに気をくばりながら、泥のなかをすすんだ。草のあいだをヘビがざわざわとはいまわる音がきこえる。ピストルを高くかかげ、銃口を空に向けて歩いた。小屋から三十メートルまで近づいたとき、また網戸が音をたててあき、ショットガンをもったベヴが走りでてきた。四人に向かって金切り声で何か叫んでいる。怒りと絶望のあまり錯乱し、自暴自棄になっているようだ。

ベヴがショットガンをかまえるよりはやく、ルーディの銃が火をふいた。

パンパン！　パンパン！　パンパン！

ベヴは桟橋の古びた板のうえに倒れ、なかば沈んだボートのそばの水に落ちた。

123

アルバート・ダードがいかめしいドアをあけた。長袖のシャツの前に血が点々とついている。

「どうしたの？」スカーペッタはなかにはいり、大声をあげた。

しゃがんでアルバートのシャツをそっとめくる。おなかに浅い傷が縦横についている。スカーペッタはふうっと息をついてシャツをおろし、立ちあがった。

「いつやったの？」アルバートの手をとってたずねる。

「おばさんがでていってから。ずっともどってこないの。あいつもいっちゃったよ。飛行機にのってた男。大きらい、あいつ！」

「おばさん、もどってこないの？」

ここへきたとき、たしか白いメルセデスとミセス・ギドンの古いボルボが家の前にとまっていたが。

「その傷の手当てができるところが、どっかにある？」

アルバートはかぶりをふった。「何もしなくていいよ」

「そういうわけにはいかないわ。わたしはお医者さんなのよ。さあ」

「ほんと？」彼はびっくりしている。女の医者がいるなどとは思ったこともなかったようだ。

アルバートは彼女を二階のバスルームへつれていった。キッチンと同じように、そこも長いこと手が加えられていないようだ。昔風の白いバスタブと白い洗面台に、薬品戸棚がある。戸棚のなかにヨードチンキがあったが、バンドエイドはない。

「シャツをぬぎましょう」手をかしてぬがしてやる。「強い子になれる？　なれるわね。体を切ると痛いでしょう？」

背中と肩にいくつも傷跡があるのを見て、狼狽《ろうばい》した。

「そのときはあんまり感じないんだ」アルバートは彼女がヨードチンキのふたをあけるのを、不安そうに見ている。

「これはちょっとしみるかもしれないわ、アルバート。たいしたことはないけど」ひどく痛い治療をするときにどの医者もするように、うそをつく。

手早く処置するあいだ、アルバートはくちびるをかんでいた。涙をこらえながら、ひりひりする傷を手であおぐ。

「強いわねえ」スカーペッタは便器のふたをおろしてそのうえに腰かけた。「どうして自分の体を傷つけるようになったのか、話してくれる？　何年か前からだってだれかがいってたけど」

アルバートはうなだれた。

「話しても大丈夫よ」彼の両手をとる。「わたしたち、ともだちでしょ？」

アルバートはゆっくりうなずいた。

「やつらがやってきたんだ」彼は声をひそめた。「車の音がしてね。おばさんがでていったんで、ぼくも外にでた。隠れてたの。そうしたら女の人が車からひっぱりだされて、その人は悲鳴をあげようとしたんだけど、ここをしばられていて」と、自分の口を指さす。さるぐつわのことらしい。「それからセラーのなかへつれていかれちゃった」

「ワインセラーのこと？」

「そう」

ミセス・ギドンがしきりにワインセラーを見るよう誘ったことを思いだした。ぞっとして鳥肌がたった。とんでもないところへきてしまった。アルバートのほかに、だれがここにいるのかわからない。だれかがくるかもしれない。

「しばられた女の人といっしょにいたやつらのなかに、怪物みたいなのがいたんだ」アルバートの声が甲高《かんだか》くなる。彼はおそろしげに目を見開いた。「テレビのホラー映画にでてくるような、歯がとがっていて長い毛がはえてるやつ。茂みのうしろに隠れてたんだけど、見つかりそうで、こわくてたまらなかった」

ジャン・バプティスト・シャンドンだ。

「それからぼくの犬、ネスレも。どっかいっちゃったんだ！」アルバートは泣きだした。

玄関のドアが開いてしまる音につづいて、階下で足音がきこえた。

「二階に電話ある？」スカーペッタは小声できいた。

彼はおびえた様子で、涙をぬぐっている。

切迫した口調で、同じ質問をくりかえした。

アルバートは体をこわばらせて、こちらを見つめるだけだ。

「自分の部屋へこもってなさい！」

アルバートはおなかの傷にさわり、それをこすった。また血がでてくる。

「いきなさい！　音をたてちゃだめよ」

アルバートは音がしないように急いで廊下を歩き、部屋にはいった。

スカーペッタは数分のあいだ様子をうかがっていた。聞き耳をたてているうちに足音がやんだ。男性の足音のようで、どちらかといえば重々しい。だがかたい革の靴底が木の床にあたる、するどい音ではない。男がまた歩きはじめた。階段へ向かっているようだ。心臓が早鐘のように打ちはじめた。階段に足をかけるのをきいて、バスルームからでていった。その男――ジャン・バプティスト・シャンドンにちがいない――がアルバートを見つけないようにしなければと思ったのだ。

スカーペッタは階段のうえで立ちすくんだ。全身の力をこめて手すりをにぎり、階段の下にいる男を凝視する。その姿を見て頭のなかがまっ白になった。目をつぶり、また開く。そうすれば男の姿が消えるとでもいうように。手すりにしがみついて、ゆっくり一段ずつ、男を見つめながら階段をおりる。途中ですわりこんでしまったが、まだじっと男を見つめている。

ベントン・ウェズリーもその場に立ちつくしていた。やはり彼女を見つめている。その目が涙で光った。彼はいそいでまばたきして涙をおさえた。

「あなたはだれ？」スカーペッタの声ははるかかなたからきこえてくるように思える。「あの人じゃないわ」

「わたしだよ」

スカーペッタは泣きだした。

「おりてきてくれ。それともわたしがきみのところまであがっていこうか？」ベントンは彼女の心の準備ができるまで、ふれたくなかった。自分の心の準備も必要だった。

スカーペッタは立ちあがって、ゆっくり階段をおりてきた。だがベントンのところまでくると、後ずさりして遠くへはなれた。

「それじゃ、あなたもひと役かっていたわけね。ひどいやつ。このろくでなし」声が激しくふるえ、うまくことばにならない。「わたしを撃つしかないわね。知ってしまったんだから、あなたが何をしていたか。死んだと思っていたのに。彼らといっしょに行動していたのね！」そこにだれか立っているかのように、階段を見る。「あいつらの仲間なのね！」

「とんでもない」

ベントンは上着のポケットからおりたたんだ白い紙切れをとりだして、広げた。それは全米司法アカデミーの封筒だった。マリーノがスカーペッタに見せたコピーと同じだ。シャンドンがマリーノやスカーペッタにあてた手紙がはいっていた封筒だ。

ベントンは彼女に見えるようにそれを床に落とした。

「うそ」

「きいてくれ、話せばわかる」

「ロッコの居場所をルーシーに教えたのはあなたね。あの子が何をするかわかっていたんでしょう！」

「きみはもう安全だ」

「そして、わたしがあいつに会いにいくようにしむけた。わたしは彼に手紙なんか書いていない。あなたがわたしになりすまして書いたのね。会って取り引きしたいと」

「そうだ」

「なぜ？　なぜわたしにそんなことをさせようとしたの？　あんな生きる値打ちもない人間と向かいあわせるようなことを？」

「いまやつを人間と呼んだね。そのとおりだ。ジャン・バプティスト・シャンドンは人間だ。化け物でも、架空の生き物でもない。あいつが死ぬ前に、あいつと対決してほしかった。自分の力をとりもどしてほしかったんだ」

「あなたにはわたしの人生を支配する権利はないわ。そんなふうにあやつろうとするなんて！」

「会いにいったことを後悔してるのか？」

一瞬、彼女はことばを失った。そしてやがていった。「あなたはまちがっていたわ。彼は死ななかった」

「きみに会うことが、彼に生きる意欲をもたせることになるとは予想していなかった。予想すべきだった。ああいったサイコパスは、生きることに執着する。死刑が執行されるのがわかっているテキサスで彼が容疑を認めたもので、ついだまされてしまった。本当に死ぬことを望んでいると……」

「あなたはまちがっていた」スカーペッタはもう一度いった。「ありあまる時間を使って、神さまのまねごとをしようとしたのね。そしてすっかり変わってしまって、まるで、まるで……」

「わたしはまちがっていた。きみのいうとおりだ。見込みちがいをしていた。血のかよわない、機械のような人間になってしまったんだよ、ケイ」

ベントンは彼女の名前を口にした。スカーペッタは激しく心をゆさぶられた。

「もうきみに危害を加える人間はここにはいない」ベントンはさらにいった。

「もういないって？」

「ロッコは死んだ。ウェルドン・ウィンも死んだ。ジェイ・タリーもだ」

「ジェイも？」

ベントンはたじろいだ。「すまない。もしまだ気にかけているなら」

「ジェイのことを？」頭が混乱した。めまいがして、気を失いそうだ。「彼のことを気にかけるですって？　どうしてわたしが？　全部知ってるの？」

「全部よりもっとだよ」と、ベントンは答えた。

124

ふたりはキッチンテーブルをはさんで向かいあってすわっていた。肉切り台だったそのテーブルで、スカーペッタはミセス・ギドンと話をしたのだ。その晩のことはもうほとんどおぼえていない。

「わたしは深入りしすぎたんだ」と、ベントンがいっている。「ここが彼らの拠点でね。主だったやつらがおおぜい出入りしていた。バトンルージュの港やミシシッピ川を舞台にした犯罪に手をそめていた連中だ。ロッコにウェルドン・ウィン。タリー。ジャン・バプティストもいた」

「ジャン・バプティストに会ったことあるの？」

「何度もある。まさにこの家で。わたしのことをおもしろい男で、ほかの連中より親切にしてくれると思っていたようだ。ありとあらゆる悪人が出入りしていた。ギドンはいわばこのやしきの女主人だった。ほかのやつらに劣らない悪人でね」

「女主人だった？　いまもそうでしょう？」

ベントンはちょっとためらってからいった。「ウィンがワインセラーへはいっていくのを見たんだ。ほかのやつらがそこにいるとは知らなかった。ジャン・バプティストが隠れているかもしれないとは思ったが。ところが、そこにいたのはギドンとタリーだった。やむをえなかった」

「ふたりを殺したのね」

「やむをえなかったんだ」ベントンがまたいう。

スカーペッタはうなずいた。

「六年前、わたしはもうひとりの捜査官と組んで仕事をしていた。マイナーという男だ。ライリー・マイナー。このあたりの出身という設定にしていた。ところが、彼が何かばかなことをしでかした。具体的に何かはわからないが。とにかくやつらは容赦しなかった」ベントンはワインセラーのほうをあごで示した。「あれは拷問部屋だ。あそこで口を割らせるんだ。壁に古い鉄の輪がとりつけてある。奴隷がいたころのものだが。タリーはヒートガンのような道具を使って情報をひきだすのが好きだった。てっとりばやくね。やつらがマイナーをセラーにひきずりこむのを見て、作戦が失敗に終わったことを知った。そしてすぐにここを逃げだした」

「彼を助けようとしなかったの？」

「それは不可能だった」

スカーペッタは黙っている。

「そして自分は死んだことにするしかなかったんだよ、ケイ。死んだことにしている限り、きみやルーシーやマリーノの前に姿をあらわすことはできなかった。永久に。やつらはきみたちまで殺そうとしただろうからね」

「あなたは臆病者ね」スカーペッタはうつろな声でいった。

「わたしを憎むのも無理はない。きみをあんなに苦しめたんだから」

「話してくれればよかったのに！　そうすれば苦しまずにすんだのに！」

ベントンはスカーペッタをじっと見つめた。彼女の顔を思いだしている。あまり変わっていない。何もかも以前と同じだ。

「わたしが死を偽装する必要があって、もう二度と会えないと話していたら、きみはどうしただろうね、ケイ？」

スカーペッタは、あると思っていた答えが見つからないことに気づいた。正直にいえば、ベントンが姿を消すことを許さなかっただろう。彼にもそれがわかっているのだ。「危険をおかすことを選んだでしょうね」ふたたび悲しみがこみあげてきて、声がつまる。「あなたのために、きっとそうしたわ」

「じゃわかってくれるね。なぐさめにもならないだろうが、わたしだって苦しんだのだ。きみのことを思わない日は一日たりともなかった」

彼女は目をとじて呼吸を静めようとした。

「やがて耐えられなくなってきた。はじめのころ、あまりにも惨めで、あまりにも怒りが激しくてどうすることもできず、考えることに没頭した。チェスをするように……」

「ゲームみたいに？」

「ゲームじゃない。真剣だった。主な敵をひとりずつ消していく。自分が表にでたら、もうあともどりはきかない。もしうまくいかなかったら、生きていることを悟られてしまう。あるいはその試みの最中に殺されてしまうかもしれない」

「犯罪者に私的制裁を加えることが望ましいとは思えないけど」

「それについては、きみの友人のロード上院議員と話をするといい。シャンドン一家はテロリストに莫大な資金を提供しているんだよ、ケイ」

スカーペッタは立ちあがった。「もうたくさん。いっぺんにいわれても処理しきれないわ。もうやめて」突然アルバートのことを思いだし、視線をうえに向ける。「あのかわいそうな男の子は、本当にシャーロット・ダードの子なの？」

「そうだ」

「まさかあなたが父親じゃないでしょうね」

「父親はジェイ・タリーだ。アルバートはそのことを知らない。一度も会ったことのないお父さんは、とても著名な忙しい人だという、わけのわからない話を信じこまされている。自分でもいろいろ空想しているんだな。いまでもその全能の父親がどこかにいると信じている。シャーロット・ダードは短いあいだだが、タリーと愛人関係にあった。ある晩、わたしがここにいるときにガーデンパーティが催された。シャーロットは知りあいのアンティーク・ディーラーを招いて……」

「知ってるわ。すくなくともそのなぞは解けるでしょうね」

「タリーはその女性を見て話をして、その後、彼女の家へいった。そして抵抗された。やつにとってはがまんできないことだ。そこで彼女を殺害して、ついでにシャーロットにも死んでもらうことにした。その女性といっしょにいるところをシャーロットに見られていたからだ。それにシャーロットに飽きて、いやけがさしてもいたらしい。それで彼女に会って薬をわたしたんだ」

「かわいそうなアルバート」

「心配しなくても大丈夫だよ」

「ルーシーとマリーノはいまどこ？　ルーディとニックは？」急に彼らのことを思いだした。

「三十分ほど前に、沿岸警備隊のヘリコプターに救助された。ベヴ・キフィンとジェイ・タリーの隠れ家を襲撃したあとに」

「どうやって知ったの？」

ベントンはテーブルから立ちあがった。「情報源がいくつかあってね」

ロード上院議員のことがふたたびスカーペッタの頭にうかんだ。沿岸警備隊は、いまは国土安全保障省の一部だ。たしかにロード上院議員なら情報ははいるだろう。

ベントンはスカーペッタに近づき、その目をのぞきこんだ。「きみが永遠にわたしを憎みつづけるとしても、無理はない。わたしといっしょにいたくないと思ったとしても、責めはしない……そう、いっしょにいるべきではない。ジャン・バプティストがまだ残っている。いずれわたしを追ってくるだろう。何らかの手段を使って」

スカーペッタは黙って、目の前にうかんだ幻覚が消えるのを待っている。

「きみにさわってもいいかい？」と、ベントンがたずねた。

「もうだれが残っていようと問題じゃないわ。こんなにいろんな目にあってきたんですもの」

「さわってもいいかい、ケイ？」

彼女はベントンの両手をとって、自分の顔に押しあてた。

●訳者あとがき

シリーズ十二作目の『黒蠅《くろばえ》』。久々の新作である。

作者コーンウェルは一九九〇年に一作目の『検屍官』を発表して以来、毎年新たな作品を世に送りだしてきた。だが今回は前作の刊行からしばらく間があいている。といっても休筆していたわけではない。「スズメバチ」シリーズのほうでは二年前に新作『女性署長ハマー』を出している。

またノンフィクションでは昨年『切り裂きジャック』を発表し、話題になった。かの悪名高いイギリスの連続殺人鬼の正体を暴いたこの作品に、コーンウェルはなみなみならぬ情熱をかたむけ、多大な時間とエネルギーを費やしてそれを書きあげた。もともとは本シリーズに使うつもりで、この事件に目を向けたらしい。だが調べていくうちに、真犯人にまちがいないと思える人物をつきとめた。そこで小説に入れるのではなく、独立した作品としてそれを執筆したという。

というわけで、本書は「検屍官」シリーズとしては三年ぶり。ファンにとっては待望の新作だが、いくつかの点でこれまでの作品とは異なっている。読みはじめてまず、おや、と思ったのは、これまでスカーペッタの視点で書かれた一人称の小説だったのが、三人称に変わっている点だ。その分、記述が客観的になっているといえよう。

　また主人公の視点にしばられないためか、場面がどんどん変わり、スピーディに物語が展開していく。まるでテンポの速い映画でも見ているようだ。舞台もフロリダ、ニューヨーク、テキサス、ボストン、ルイジアナ、はてはポーランドのシチェチンと多様で、話に空間的な広がりがある。

　登場するのはおなじみの人物たちだが、彼らをとりまく状況も、やはり大きく変化している。スカーペッタは検屍局長の座を去り、フロリダのデルレイビーチへ移って、法病理学のコンサルタントの仕事をしている。ルーシーはニューヨークで私的な捜査機関、ラスト・プリシンクトを主宰し、インターポールとも連携して幅広く活動している。マリーノだけはまだリッチモンドにとどまっているが、彼もリッチモンド市警はすでに辞めている。

　前々作の『警告』の最後でとらえられた連続殺人犯の、狼男ことシャンドンは、テキサスの死刑囚監房にいる。処刑を間近にひかえたシャンドンからの手紙をマリーノ、ルーシー、スカーペッタがそれぞれ受けとるのが話の発端だ。それをきっかけに、マリーノは重い秘密をかかえてボストンへ、ルーシーはある壮絶な決意を胸にポーランドへ、スカーペッタはかつて自分を殺そうとしたシャンドンに会いに、テキサスへいく。同じころ、ルイジアナでは十人の女性があいついで誘拐され殺害される事件がおこっている。被害者はみな金髪に青い目の、スカーペッタに感じの似た知的な美人だ。見えない糸にあやつられるかのように、事件の舞台であるバトンルージュへおもむくスカーペッタと、彼女を守ろうとあとを追うルーシーとマリーノ。彼らはそこで究極の悪と対決することになる。

このシリーズにはこれまでにもさまざまな悪人が登場している。人を殺すことを何とも思わないどころか、それに喜びを感じる異常人格者は、常人には理解しがたい存在、悪の権化として描かれることが多かった。だが本作は三人称で書かれているため、悪人の考えかたや感じかたもそのまま提示される。読者はいわば、彼らの頭のなかをのぞくことができる。狼男シャンドンの倒錯した世界を描き、そのゆがんだ心の端をかいま見せることで、おぞましくはあるが、彼も人間であることを、作者は逆説的に伝えようとしたのかもしれない。

新しいキャラクターとして強い印象を残すのが、ニックという若い女性刑事だ。このシリーズに毎回のように登場する、地位も権力もある、美貌と才能に恵まれた女性たちとはちがって、ニックは田舎町の下っぱの刑事だ。有能で熱意にあふれているが、どこかずれていて、まわりから浮いてしまう。それでもやる気は十分で、父親にあずけているおさない息子のことを気にかけながらも、ひとりで危険なおとり捜査をこころみたりする。スカーペッタも、姪のルーシーに似て生きることに不器用なニックのことを心にかけるが、こちらもこのけなげな若い刑事に共感を抱かずにはいられない。

ところで、作中スカーペッタの年齢が四十六歳とされていることに疑問をもった読者もおられるだろう。バージニア州検屍局長としてはじめて登場したとき四十歳だったから、その後のさまざまな事件の経過やルーシーの年齢などから推定して、いまは六十前後になっているはずだ。念のため作者に問い合わせたところ、さまざまな事情から意図的に年齢を若く設定しなおしたので、読者にも納得してほしいということだった。本来の年齢のままにして、六十すぎても仕事や恋愛に情熱を注ぐ、元気なスカーペッタを描いてほしかったとも思う。だが若返らせることが、この先何年もスカーペッタを活躍させようという作者の意欲のあらわれと見れば、これは大いに歓迎すべきことだろう。

さて今回の結末で当面の事件は解決を見たが、まだ立ち向かうべき巨大な悪は残っている。衝撃的な事実を知ったスカーペッタをはじめ、不安定な状況にいるルーシーやマリーノの先行きも不透明だ。今後、物語はどのように展開していくのだろう？　さまざまな疑問の答えは、すでに作者の頭のなかに用意されているのだろうか？　次回はあまり間をあけずに続きを書きあげてくれることを期待する。

本書を例年どおり年内に完成させることができたのは、出版にかかわるすべての方のご協力のおかげである。講談社文庫出版部の皆様をはじめ、お世話になったそうした方々に心よりお礼を申しあげたい。

二〇〇三年十二月　　　相原真理子

|著者|パトリシア・コーンウェル　マイアミ生まれ。警察記者、検屍局のコンピューター・アナリストを経て、1990年『検屍官』で小説デビュー。MWA・CWA最優秀処女長編賞を受賞して、一躍人気作家に。バージニア州検屍局長ケイ・スカーペッタが主人公の検屍官シリーズはDNA鑑定、コンピューター犯罪など時代の最先端の素材を扱い読者を魅了、1990年代ミステリー界最大のベストセラー作品となった。他の作品に正義感あふれる女性警察署長とその部下たちの活躍を描いた『スズメバチの巣』『サザンクロス』『女性署長ハマー』など。

|訳者|相原真理子　東京都生まれ。慶應義塾大学文学部卒業。テューダー『ターシャ・テューダーの世界』(文藝春秋)、コデル『本を読むっておもしろい』(白水社)、フィルブリック『復讐する海』(集英社)、コーンウェル『検屍官』シリーズ、『スズメバチの巣』『サザンクロス』(以上、講談社文庫)など、翻訳書多数。

黒蠅《くろばえ》(下)

パトリシア・コーンウェル|相原真理子《あいはらまりこ》 訳

講談社文庫

定価はカバーに
表示してあります

2003年12月15日第1刷発行

発行者——野間佐和子
発行所——株式会社 講談社
東京都文京区音羽2-12-21　〒112-8001
電話 出版部 (03) 5395-3510
　　 販売部 (03) 5395-5817
　　 業務部 (03) 5395-3615

デザイン—菊地信義
製版——凸版印刷株式会社
印刷——凸版印刷株式会社
製本——株式会社若林製本工場

Printed in Japan

ISBN4-06-273908-9

海外作品

小説

グレッグ・アイルズ 雨沢 泰訳 神の狩人(上)(下)
グレッグ・アイルズ 雨沢 泰訳 24 時間
グレッグ・アイルズ 雨沢 泰訳 沈黙のゲーム(上)(下)
R・アンドルース 渋谷比佐子訳 ギデオン 神の怒り
S・ヴォイエン 笹野洋子訳 雪豹
M・W・ウォーカー 矢沢聖子訳 凍りつく骨
M・W・ウォーカー 矢沢聖子訳 処刑前夜
M・W・ウォーカー 矢沢聖子訳 すべて死者は横たわる
バーバラ・ウッド 加藤しをり訳 女性司祭
ダグラス・E・ウィンター 金子 浩訳 撃て、そして叫べ
L・D・エスルマン 宇野輝雄訳 欺《あざむ》き
A・エルキンズ 笹野洋子訳 略奪
レニー・エアース 田中 靖訳 夜の闇を待ちながら
D・エリス 中津 悠訳 覗く。(上)(下)
チャールズ・オズボーン 羽田詩津子訳 招かれざる客〈アガサ・クリスティー〉
J・カッツェンバック 高橋健次訳 理由(上)(下)
ベイン・カー 高野裕美子訳 柔らかい棘
エイミー・ガットマン 坂口玲子訳 不確定死体
C・キング 翔田朱美訳 盗聴
W・キンソルヴィング 大澤 晶訳 外交官の娘(上)(下)
J・キャドウ 田中一江訳 無法の正義
S・クーンツ 高野裕美子訳 大包囲網(上)(下)
S・クーンツ 高野裕美子訳 ザ・レッドホースマン(上)(下)
S・クーンツ 高野裕美子訳 イントルーダーズ(上)(下)
S・クーンツ 高野裕美子訳 撃墜王
S・クーンツ 北澤和彦訳 キューバ(上)(下)
ロバート・クラーク 小津 薫訳 記憶なき殺人
ロバート・クラーク 小津 薫訳 記憶なき嘘
D・クロンビー 西田佳子訳 警視の休暇
D・クロンビー 西田佳子訳 警視の隣人
D・クロンビー 西田佳子訳 警視の秘密
D・クロンビー 西田佳子訳 警視の愛人
D・クロンビー 西田佳子訳 警視の死角
D・クロンビー 西田佳子訳 警視の接吻
D・クロンビー 西田佳子訳 警視の予感
D・グターソン 高儀 進訳 殺人容疑
L・グラス 翔田朱美訳 刻印
L・グラス 翔田朱美訳 紅唇《ルージュ》
W・グルーム 小川敏子訳 フォレスト・ガンプ
M・J・クラーク 山本やよい訳 女性キャスター
M・J・クラーク 山本やよい訳 緊急報道
ウィリアム・K・クルーガー 野口百合子訳 凍りつく心臓
ウィリアム・K・クルーガー 野口百合子訳 狼の震える夜
ロバート・クレイス 村上和久訳 破壊天使(上)(下)
D・クーンツ 田中一江訳 汚辱のゲーム(上)(下)

講談社文庫　海外作品

講談社文庫　海外作品

S・デュナント　小西敦子訳　フィレンツェに消えた女
ネルソン・デミル　白石　朗訳　王者のゲーム(上)(下)
ネルソン・デミル　白石　朗訳　アップ・カントリー(上)(下)〈兵士の帰還〉
マーク・ティムリン　北沢あかね訳　黒く塗れ！
ジェフリー・ディーヴァー　越前敏弥訳　死の教訓(上)(下)
N・トーシュ　高橋健次訳　抗争街
リチャード・ドゥーリング　白石　朗訳　ブレイン・ストーム(上)(下)
ホーカン・ネッセル　中村友子訳　終止符《ピリオド》
ハックスリー　松村達雄訳　すばらしい新世界
D・ハンドラー　北沢あかね訳　傷心
B・パーカー　佐藤耕士訳　擬装心理
B・バーガー　笹野洋子訳　リスクを追いかけろ
W・バーンハート　白石　朗訳　殺意のクリスマス・イブ
L・S・ハイタワー　小西敦子訳　引火点
L・S・ハイタワー　小西敦子訳　切断点
L・S・ハイタワー　小西敦子訳　消失点

T・J・パーカー　渋谷比佐子訳　凍る夏
C・ハリソン　笹野洋子訳　闇に消えた女
J・L・バーク　佐藤耕士訳　シマロン・ローズ
J・L・バーク　佐藤耕士訳　ハートウッド
ジェーン・ハミルトン　紅葉誠一訳　マップ・オブ・ザ・ワールド(上)(下)
ジャン・バーク　渋谷比佐子訳　骨
B・ブロンジーニ　木村二郎訳　幻影
ジャネット・フィッチ　杉　奈穂訳　扉
W・D・ブランデンシップ　中川　聖訳　女競買人横盗り
ジーニー・ブルーワー　矢沢聖子訳　愛は永遠の彼方に
T・ペリー　飯島　宏訳　蒸発請負人
A・ヘンリー　小西敦子訳　フェルメール殺人事件
G・ホワイト　加地美知子訳　サンセット・ブルヴァード殺人事件
ジェイムズ・W・ホール　北澤和彦訳　大密林
J・マーサー　北沢あかね訳　猜疑
M・マギャリティ　渋谷比佐子訳　弔鐘

ボニー・マクドゥーガル　吉野美耶子訳　背任
スジャータ・マッシー　矢沢聖子訳　雪殺人事件
スジャータ・マッシー　矢沢聖子訳　月殺人事件
リサ・マークルンド　柳沢由実子訳　爆殺魔《ザ・ボンバー》
S・マルティニ　斉藤伯好訳　弁護人(上)(下)
C・G・ムーア　井坂　清訳　最後の儀式
カレン・モリーン　田村達子訳　囚われて(上)(下)〈復讐のベラドンナ〉
ウォーリー・ラム　細美遙子訳　人生におけるいくつかの過ちと選択
P・リンゼイ　笹野洋子訳　目撃
P・リンゼイ　笹野洋子訳　宿敵
P・リンゼイ　笹野洋子訳　殺戮
P・リンゼイ　笹野洋子訳　覇者(上)(下)
ギリアン・リンスコット　加地美知子訳　姿なき殺人
G・ルッカ　古沢嘉通訳　守護者《キーパー》
G・ルッカ　古沢嘉通訳　奪回者
G・ルッカ　古沢嘉通訳　暗殺者《キラー》

講談社文庫　海外作品

D・レオン　北條元子訳　ヴェネツィア殺人事件
N・ロバーツ　加藤しをり訳　スキャンダル(上)(下)
N・ロバーツ　加藤しをり訳　イリュージョン(上)(下)
N・T・ローゼンバーグ　吉野美耶子訳　女性判事(上)(下)
N・T・ローゼンバーグ　吉野美耶子訳　炎の法廷
N・T・ローゼンバーグ　吉野美耶子訳　不当逮捕
K・ロス　吉川正子訳　ベルガード館の殺人
K・ロス　吉川正子訳　フォークランド館の殺人
K・ロス　吉川正子訳　マルヴェッツィ館の殺人(上)(下)
C・ロジャース　斉藤伯好訳　愛の棘《とげ》
ピーター・ロビンソン　幸田敦子訳　誰もが戻れない
キム・S・ロビンスン　赤尾秀子訳　南極大陸(上)(下)

ノンフィクション

W・アービング　江間章子訳　アルハンブラ物語
M・セリグマン　山村宜子訳　オプティミストはなぜ成功するか
ユン・チアン　土屋京子訳　ワイルド・スワン 全三冊
ニルソン他　松山栄吉訳　生まれる〈胎児成長の記録〉
J・ラーベ　E・ヴィッケルト編　南京の真実
J・ロジャーズ　林康史・林則行訳　21世紀〈この国が買い、この国は売り〉
J・D・ワトソン　江上・中村訳　二重らせん

児童文学

トーベ・ヤンソン　山室　静訳　たのしいムーミン一家
トーベ・ヤンソン　下村隆一訳　ムーミン谷の彗星
トーベ・ヤンソン　山室　静訳　ムーミン谷の仲間たち
トーベ・ヤンソン　下村隆一訳　ムーミン谷の夏まつり
トーベ・ヤンソン　山室　静訳　ムーミン谷の冬
トーベ・ヤンソン　小野寺百合子訳　ムーミンパパの思い出
トーベ・ヤンソン　小野寺百合子訳　ムーミンパパ海へいく
トーベ・ヤンソン　鈴木徹郎訳　ムーミン谷の十一月
リンドグレーン　尾崎　義訳　長くつ下のピッピ
L・ワイルダー　こだま・渡辺訳　大きな森の小さな家
L・ワイルダー　こだま・渡辺訳　大草原の小さな家
L・ワイルダー　こだま・渡辺訳　プラム川の土手で
L・ワイルダー　こだま・渡辺訳　シルバー湖のほとりで
L・ワイルダー　こだま・渡辺訳　農場の少年
L・ワイルダー　こだま・渡辺訳　大草原の小さな町
L・ワイルダー　こだま・渡辺訳　この輝かしい日々

講談社文庫 目録

2003年12月15日現在